Le malheur de vivre

roman

Ndèye Fatou KANE

Le malheur de vivre

roman

http://www.librairieharmattan.com
diffusion.harmattan@wanadoo.fr
harmattan1@wanadoo.fr

ISBN : 978-2-336-30489-2
EAN : 9782336304892

À deux hommes d'exception :

Mamadou Tidiane Kane qui est bien plus qu'un père, un accompagnateur et un interlocuteur de tous les instants. La fierté et l'émotion qu'il ressentira en parcourant cet ouvrage suffisent à mon bonheur.

Cheikh Hamidou Kane qui est un modèle, une référence dans le domaine de la culture et de l'écriture plus particulièrement, un garant de la tradition africaine et hal pulaar par excellence. Il incarne éminemment des valeurs qui me sont chères et constituent mon viatique, celui de la tradition et de l'ouverture.

Préface

Le titre de ce premier livre de Ndèye Fatou KANE annonce-t-il un de ces romans à l'eau de rose, voués à « faire pleurer Margot » dans les chaumières des divers quartiers de notre « village planétaire » ? Si vous voulez en avoir le cœur net, sachez d'emblée que, dès la première page entamée, vous serez pris au piège et ne refermerez le livre qu'après avoir assisté à la déchéance de Sakina Bâ, version contemporaine de l'éternelle « Vénus, tout entière à sa proie attachée ».

Ce qui vous capturera, c'est d'abord l'écriture, efficace, dépouillée, limpide, élégante, qui vous décrira, étape après étape, le destin de cette jeune fille si belle, si brillante, et si obstinément naïve. Dans le cas où, comme elle-même et comme moi, vous vous trouvez appartenir à l'attachante communauté des Peulh hal pulaar, vous revivrez avec l'héroïne et sa famille, à Paris, à Dakar et au Fouta, la vigueur, la prégnance et la force salvatrice des valeurs qui la sustentent et la protègent au Fouta, à Dakar, et à Paris.

Amadou et Mariam, les parents de Sakina n'ont pas été à l'école française, ont émigré d'un Fouta fragilisé par la sécheresse et la pauvreté, vers « Paris – la France » où ils ont trimé, sont tombés et se sont relevés, sans jamais jeter par-dessus bord ni les solides liens de la parentèle africaine, ni leur profonde et chaleureuse foi islamique noire. Il n'est que de voir comment fonctionnent, à Paris, les « communautés de substitution » constituées par les « originaires de… » tel village ou tel autre ; comment, à Dakar la famille de Thierno Oumar, frère cadet d'Amadou, sa femme Bodiel, ses filles jumelles, cousines et complices affectionnées de Sakina, fonctionne selon un mode à la fois de généreuse solidarité et de stricte obéissance hiérarchique, des enfants aux adultes et des puînés aux aînés pour comprendre la résilience du viatique que représentent les valeurs de la « Pulaaku » face aux agressions subies.

Cet hommage rendu à ces valeurs, d'un bout à l'autre du livre, fait partie de ce qui me l'a rendu attachant. Un autre attrait réside dans la description qu'il donne des femmes de la famille. D'abord les trois jeunes cousines, adolescentes qui, à la différence de leurs mères et grand-mères, ont été à l'école publique moderne, qui s'éveillent à la vie et à l'amour, qui sont respectueuses de leurs parents, qui assistent leurs mères à la cuisine, aux travaux ménagers, qui sont réveillées à l'aube pour la prière du matin… jusqu'au jour où, à l'occasion des vacances à Dakar, les cousines ont commencé à sortir en catimini le soir, une fois les « vieux » couchés, pour aller explorer les mystères de Dakar by night, et revenir à temps pour feindre de se réveiller à l'heure de la prière… C'est le biais par lequel le malheur s'introduira, ainsi que vous le verrez.

Les femmes des générations précédentes, les deux mères des jeunes filles, de même que Ramata, la sœur aînée d'Amadou et Thierno Oumar, restées au village sont remarquables de courage, d'équilibre dans leurs *rôles d'épouses, de mères, de gardiennes de la tradition.*

Je n'en dirai pas plus. Surtout je ne révélerai rien de l'intrigue, sinon pour m'attrister du sort qui a valu à Sakina son innocente et insupportable naïveté et maudire l'auteur de ses malheurs, ce « Boy Dakar », hal pulaar déculturé, dévoyé et attiré par les leurres et lueurs, les blings blings des nuits dakaroises et parisiennes.

L'état insupportable dans lequel Ndèye Fatou Kane laisse la pauvre Sakina Bâ me fait espérer qu'elle nous donnera une suite à ce roman, Le malheur de vivre, *avec le récit de sa rédemption.*

Cheikh Hamidou Kane
Écrivain

« *Il y a dans la vie deux sortes de destins. Ceux qui ouvrent les pistes dans la grande brousse de la vie et ceux qui suivent ces pistes ouvertes de la vie. Les premiers affrontent les obstacles, l'inconnu. Ils sont toujours le matin trempés par la rosée parce qu'ils sont les premiers à écarter les herbes qui étaient entremêlées. Les seconds suivent des pistes tracées, suivent des pistes banalisées, suivent des initiateurs, des maîtres. Ils ne connaissent pas les rosées matinales qui trempent, les obstacles qui défient, l'inconnu des nuits noires, l'inconnu des espaces infinis. Leur problème dans la vie c'est de trouver leur homme de destin. Leur homme de destin est celui qu'ils doivent suivre pour se réaliser pleinement, pour être définitivement heureux. Ce n'est jamais facile de trouver son homme de destin, on n'est jamais sûr de l'avoir rencontré.* »

Ahmadou Kourouma (*En attendant le vote des bêtes sauvages*, Paris, Seuil, 1998, p. 60)

Chapitre 1

Destin cruel

Des forces invisibles contrôlent le jeu à notre insu. On les appelle le destin. Ce même destin peut se révéler fort cruel, et ça, Sakina ne l'a que trop bien compris...

Elle qui avait la vie devant elle, un avenir doré qui se profilait, a laissé passer tout cela...

Au nom de quoi ? De l'amour... Ce sentiment qui, tel un ouragan, balaie tout sur son passage et, avant que vous n'ayez compris ce qui vous arrive, vous laisse à terre et continue son chemin.

Elle se mit à songer à son pauvre père, mais aussi à sa mère, la pieuse Mariam, qu'elle ne reverrait sans doute plus, à Bousso et Salamata ses cousines bien-aimées, et surtout à sa petite Aïssata, fruit de ses amours avec Ousmane...

Ousmane...

Rien qu'à son souvenir, Sakina sentit deux grosses larmes rouler le long de ses joues, pour venir s'écraser dans les replis du manteau informe qui constituait désormais l'unique pièce de sa garde-robe.

Errant dans les rues de Dakar, elle eut un accès de mélancolie au souvenir de sa jeunesse dorée à Paris, à toutes les possibilités qui s'étaient offertes à elle, mais qu'elle avait, d'une pichenette, réduites à néant...

Elle essuya tristement ses larmes et empoigna la petite fiole contenant le liquide ambré qu'elle affectionnait tant et en but une longue gorgée. Elle commençait déjà à se sentir un peu mieux...

Ceci étant fait, elle alluma d'une main tremblante la cigarette qui lui restait, en tira une petite bouffée et resta prostrée, perdue dans ses méditations...

Elle n'aurait pu dire combien de temps elle était restée ainsi... Toujours est-il qu'elle fut tirée de ses rêveries par le klaxon des voitures qui passaient, en contrebas de la crique où elle avait trouvé refuge.

D'un pas lourd, elle se mit en quête d'un endroit où dormir...

Chapitre 2

Sakina, l'insoumise

Sakina Bâ était la fille d'Amadou et Mariam Bâ, un richissime couple de commerçants Hal pulaar* installé à Paris, depuis une quarantaine d'années, où leur boutique « Little Sénégal » était connue du Tout-Paris.

Située dans le XVIIIe arrondissement, dans le grouillant et hétéroclite quartier dit de « la Grotte Rouge », ils proposaient quantité d'articles, pour le plus grand plaisir de leurs clients, Sénégalais expatriés pour la plupart : étoffes, chaussures, produits de beauté, fruits exotiques, condiments…

Le vieux Amadou, fort de son expérience de quatre décennies dans le pays des toubabs* comme il disait, menait son commerce de main de maître. Secondé par son épouse, la douce et non moins belle Mariam, ils géraient leur magasin et étaient fort connus de l'intelligentsia Hal pulaar. Leur appartement, situé à quelques encablures de leur magasin, sur la rue des Tisonniers, ne désemplissait jamais : amis, parents, laudateurs, nécessiteux, ou encore hôtes de passage, tous s'y pressaient et bénéficiaient allègrement des largesses du couple Bâ.

Mariés depuis trente-cinq ans, ils n'avaient connu les joies de l'enfantement que fort tard. Leur fille unique, Sakina, âgée d'à peine vingt ans, était la prunelle de leurs yeux. Non seulement à cause du fait qu'ils l'avaient eue en étant relativement âgés (tous deux avoisinaient les soixante ans), mais aussi en raison de son exceptionnelle beauté…

Ayant hérité de la haute taille de son père, elle était, tout comme sa mère, de teint clair et avait de grands yeux ornés de longs cils recourbés. Sa chevelure, qui frôlait ses reins, était répartie en deux grosses nattes qui se balançaient à chacun de ses pas. Elle se mouvait avec grâce en ondulant du bassin, telle une sirène.

Sakina savait qu'elle était belle et en profitait pour obtenir ce qu'elle voulait : avec ses parents qui, désireux de ne jamais la contrarier, cédaient au moindre de ses caprices ; avec les clients du magasin qui lui laissaient toujours de généreux pourboires, pour peu qu'elle fût un tantinet agréable…

Sa vie se partageait entre la boutique, où elle secondait ses parents, et ses cours à l'Université Sékou Touré de Paris, où elle était en première année de sciences de gestion. Après un Baccalauréat économique, option techniques de gestion, elle avait voulu arrêter ses études, et ne pas aller au-delà du Bac. Ses parents, n'étant pas eux-mêmes allés à l'école, y attachaient une importance capitale, sinon vitale. C'est ainsi qu'après l'obtention du Bac, ils avaient insisté pour qu'elle aille à la Fac. Elle y était donc présentement en 1ère année de licence.

Paradoxalement, bien que résidant en France, Amadou et Mariam Bâ restaient fort attachés à leurs origines sénégalaises, et surtout Hal pulaar*… Ils mettaient un point d'honneur à aller passer les vacances d'été au Sénégal. Et depuis la naissance de Sakina, ils y tenaient encore plus et en avaient fait une sacro-sainte tradition. Ils voulaient que celle-ci s'imprégnât au mieux de sa culture toucouleur*.

Durant le mois d'août de chaque année, ils allaient tous au Sénégal. Ce mois étant celui où l'activité commerciale était la plus réduite, car nombre de résidents d'Île-de-France allaient en vacances, ils fermaient boutique eux aussi et s'accordaient un repos bien mérité.

Une fois au pays, ils faisaient d'abord escale à Dakar, dans leur maison du quartier populeux des Parcelles Désassainies, avant de rallier au bout de deux semaines le village de Bâydel, d'où Amadou et Mariam étaient tous deux originaires. Là, ils pouvaient pleinement se ressourcer et oublier quelque peu les tracas d'une vie parisienne fort harassante.

Sakina n'aimait rien tant qu'aller en vacances au Sénégal, car là, elle pouvait échapper à la vigilance de ses parents, surtout celle de son père qui la couvait tellement qu'il souhaitait, constamment, l'avoir à ses côtés. En effet, il ne voyait pas d'un très bon œil les velléités d'émancipation de sa fille qui, non contente de déambuler à son aise dans les artères dakaroises, arborait des tenues qu'elle n'aurait jamais osé porter en France. Car, dans l'Hexagone, ses parents souhaitaient l'éloigner autant que faire se peut des tentations qui pullulaient dans la capitale parisienne. Ils rêvaient d'un destin prometteur pour elle et œuvraient en ce sens, au contraire de leur fille, qui ne rêvait que de prendre son envol et vivre pleinement.

On était le 1er août 1980.

Et c'est par une chaude soirée, de l'été dakarois, que la famille Bâ débarqua dans la capitale sénégalaise. Ils furent accueillis comme à leur habitude par le frère d'Amadou, Thierno Omar, et sa femme, Bodiel, qui vivaient dans leur maison avec leurs deux filles.

Celles-ci étaient ses meilleures amies et son seul lien avec des jeunes de son âge. Bousso et Salamata étaient les compagnes de Sakina et faisaient les quatre cents coups avec celle-ci, quand elle était à Dakar. Les trois cousines s'entendaient comme larrons en foire et étaient fort complices. Sakina était toujours émerveillée par les histoires que lui racontaient ses cousines, et prenait comme une sorte de revanche, en vivant ce qu'elle n'aurait jamais osé imaginer vivre en France : sorties, baignades à la plage, séances de tam-tam nocturnes, promenades au marché Sandaga…

Mais ce qu'elle affectionnait le plus, c'était les virées en boîte. A l'époque, le dancing-club le plus en vue était le New Yorker, situé dans le très hétéroclite quartier de la Madina, où se pressait la jeunesse dorée dakaroise. Tout ce que Dakar comptait de jeunes hommes et femmes dans la fleur de l'âge et friands de rencontres s'y pressait. Et c'est là que Sakina fit la rencontre d'Ousmane, celui qui bouleversera sa vie à jamais… Mais ça, elle ne le saura pas encore…

Le soir de leur arrivée, aussitôt débarquée à la maison familiale des Parcelles Désassainies, où la famille Bâ devait rester deux bonnes semaines avant de rallier Bâydel, les trois filles s'enfermèrent dans la chambre qu'elles partageaient, pour y tenir ce qu'elles appelaient pompeusement « le Conseil de Guerre » :

- Alors la Française, *no mbadda** ? On n'en pouvait plus de t'attendre… Douze mois, c'est vraiment trop long ! N'est-ce pas Sala ?

- *Walahi ko gongaa** Bousso ! Sakina nous a trop manqué ! Maintenant qu'elle est là, le trio peut se reformer !

Sakina, que l'enthousiasme de ses cousines à son égard émouvait toujours, leur répondit avec le même entrain :

– *Mine bourri** mes chéries ! La vie sans vous est d'un ennui mortel !

Après cet échange d'effusions, ses cousines n'arrêtèrent pas de la presser de questions sur Paris, la vie là-bas… Mais, comme d'habitude, elle n'avait pas grand-chose à raconter, de sorte qu'elles changèrent de sujet, pour aborder celui de leurs plans durant les vacances.

Toutes à leurs conciliabules, les filles n'avaient pas entendu Bodiel, la mère des jumelles, qui les appelait depuis un bon moment. Et quand elle ouvrit grandement la porte, elles sursautèrent.

– Mais vous là, ça fait longtemps que je m'époumone à vous appeler ! Je sais que vous avez quantité de choses à vous dire, mais venez d'abord m'aider à servir le dîner ! Sakina *bii yâm**, tu es exemptée de cette corvée, car je sais que tu dois être fourbue…

Celle-ci, désireuse de se rendre utile, rétorqua :

– *Allah anné** Néné Bodiel, tu sais que c'est un plaisir !

Sur ces bonnes paroles, la dame, escortée des trois jeunes filles, descendit à la cuisine servir le *latchiri haako** qu'elle faisait mijoter depuis le matin.

La famille au grand complet dîna de bon appétit dans le salon. Sakina et ses parents se régalèrent et, juste après le dîner, tout le monde se retira dans ses appartements, les parents dans leurs chambres respectives et les filles dans la leur, pour mettre au point le plan censé déjouer la vigilance des « vieux » comme elles les appelaient. Une fois bien enfermées et à l'abri de toute oreille indiscrète, les trois cousines décidèrent que la nuit prochaine serait leur première sortie dans Dakar by night et que le New-Yorker, leur boîte de prédilection, serait bien évidemment leur destination.

Le lendemain matin, Mariam Bâ, escortée de sa belle-sœur Bodiel, alla au marché Sanagra faire quelques courses. Les filles, toutes à leur joie de sortir le soir, restèrent sagement à la maison. Sakina déballa les tenues qu'elle avait réussi à acheter bien à l'insu de ses parents : minijupes, tops très échancrés, chaussures à talons aiguilles et, bien sûr, le maquillage… Les hommes, Amadou et Thierno Omar, quant à eux, mirent à profit la journée pour faire le tour du quartier, de sorte qu'Amadou parvint à saluer les voisins et les informer de son arrivée.

Le soir, tout le monde se retrouva pour le souper. Les filles, juste après, prétextèrent une grande fatigue et coururent s'enfermer dans leur chambre en laissant les adultes deviser. Et quand elles entendirent leurs portes se refermer quelques heures plus tard, ce fut le signal pour débuter les préparatifs en vue de la soirée qui les attendait.

Elles laissèrent s'écouler une bonne heure avant d'ouvrir la porte de la maison et de s'élancer dans la nuit noire, à la conquête de Dakar…

Dès leur arrivée dans la boîte, elles firent sensation... Il faut dire qu'elles avaient fière allure : teint clair, légèrement maquillées, les cheveux ondulant au vent, courtement vêtues, on ne voyait qu'elles !

Et c'est là que Sakina entra en collision avec Ousmane...

Chapitre 3

Un amour naissant

Ils se télescopèrent sur la piste de danse, et toute sonnée, Sakina leva ses grands yeux d'ambre vers ce jeune homme qui lui était littéralement rentré dedans et le détailla : élancé, bien bâti, élégamment vêtu d'une chemise entrouverte sur un torse musclé, avec un pantalon « bas cigarette » à la dernière mode, le tout complété par des chaussures Weston que les garçons considéraient comme le summum de l'élégance...

Elle se confondit en excuses et s'éloigna rapidement. Ousmane, lui aussi, eut un peu de mal à reprendre ses moyens, car il avait été troublé par la beauté saisissante de cette jeune fille.

Ousmane Wane était ce qu'on pouvait qualifier de « boy Dakar ». Ayant très tôt quitté son village de Ndimaal, dans l'Ouest du Sénégal, il avait déserté les bancs de l'école après de nombreuses tentatives d'obtenir son Certificat d'études primaires, pour venir tenter sa chance à Dakar. Mais servi par sa grande capacité d'adaptation en toute circonstance, il parvint à parler un français assez correct...

Ses parents, Seydatal et Mamoudou Wane, avec huit enfants à charge dont Ousmane était l'aîné, avaient du mal à joindre les deux bouts. Le père, pasteur de son état, revendait quelques têtes de bétail quand le besoin se faisait sentir pour entretenir sa nombreuse famille...

Et sa femme contribuait autant qu'elle le pouvait, en commercialisant les légumes tirés du petit potager qu'elle avait à l'arrière de leur concession.

Ne roulant pas sur l'or, les Wane avaient tout fait pour inculquer à leurs enfants, tous des garçons, des valeurs telles que la dignité et le respect de soi et de son prochain, de façon à ce qu'ils n'aient à courber l'échine devant personne...

Ousmane, très tôt conscient que s'il voulait devenir « quelqu'un » – comme il aimait à le répéter –, il devait aller à Dakar, en avait fait le but ultime de sa vie.

Le voilà donc qui avait déposé son baluchon dans la capitale depuis bientôt cinq ans.

Mais ce ne fut pas sans ambages...

Ayant informé ses parents de son désir de migrer vers Dakar, ceux-ci ne cachèrent pas leur appréhension. Car pour eux, aller à Dakar était synonyme de débauche, de mauvaise hygiène de vie, et surtout fréquentation de filles de joie...

Mais Ousmane était tenace.

Il entreprit donc, avec force arguments, de leur exposer les raisons pour lesquelles il voulait et, surtout, devait quitter le village. Comprenant enfin que leur fils jouait son avenir, ils lui donnèrent leur bénédiction. Le jour de son départ, sa mère n'arrêta pas de lui répéter « *Yo Allah réwnou jaam* »*, ce à quoi Ousmane répondait par de rapides hochements de tête, pressé qu'il était de s'en aller.

Quant à son père, il lui donna une petite tape sur l'épaule en guise d'adieu et s'éloigna rapidement, le chapelet à la main. Sa mère, comme le veut la tradition, versa une timbale d'eau sur le pas de la porte. Ousmane enjamba le jet d'eau, serra très fort, mais très brièvement, sa mère dans ses bras et s'éloigna à grandes enjambées vers la gare routière.

Une fois à Dakar, il logea quelque temps chez une cousine de sa mère. Mais celle-ci, mariée et mère de trois enfants, ne pouvait garder son neveu fort longtemps sous son toit.

Avant de quitter la maison de sa tante, Ousmane devait impérativement trouver un emploi, de façon à pouvoir payer son futur logement.

D'un naturel enjoué, fort débrouillard et surtout (qualité qui lui permettait de nouer des relations rapidement) fort sociable, il trouva très rapidement un poste de gardien dans un immeuble situé au centre-ville. Il travaillait tous les jours, de 8 h à 18 h, son collègue prenait le relais pour la nuit. Il trouva par la suite une minuscule chambre non loin de son lieu de travail, dans le même immeuble que son collègue Abdoulaye, qui l'avait recommandé auprès du propriétaire.

Et ensemble, ils écumaient les nuits dakaroises durant les week-ends.

Ousmane envoyait tous les mois 20 000 F CFA à ses parents. N'étant retourné que trois fois au village, il faisait en sorte de combler son absence, en aidant ses parents autant que possible. Ceux-ci, fiers de leur fils, lui adressaient régulièrement de longues missives emplies de bénédictions et de prières de toutes sortes.

Tout à ses rêves de gloire et de reconnaissance sociale, Ousmane œuvrait grandement en ce sens. Il découpait toutes les photos de magazines masculins de mode et copiait les modèles de costumes, chemises et pantalons qu'il y voyait, et se les faisait reproduire à l'identique par un des tailleurs qui avaient pignon sur rue, au célèbre marché Sanagra. Et rien qu'à le voir, on le prenait facilement pour quelque homme d'affaires, négociant ou diplomate de passage sur Dakar, tant la mise était parfaite, la gestuelle et la parole éloquentes, sans parler de la démarche…

Et tous les samedis, parfois même les vendredis, il se rendait au New-Yorker flanqué de son ami Abdoulaye… Là-bas, les deux compères y retrouvaient quelques connaissances qui, venues comme eux se détendre après une semaine fort fastidieuse, se mettaient en quête de conquêtes féminines d'un soir, ou plus…

Quand Sakina se fut éloignée, Ousmane resta un long moment sur la piste de danse, les bras ballants, et ce n'est que quand Abdoulaye le tira vivement par la manche qu'il se rappela où il était…

– Mais boy, lui lança celui-ci, reprends-toi ! On dirait que cette *djankh** t'a tourné la tête ! Je ne t'ai jamais vu dans cet état…

– Tu n'as que trop raison ! Je suis complètement dans les nuages… Elle est d'une beauté renversante !

Le reste de la soirée, Ousmane la passa à scruter les moindres allées et venues de Sakina. Il aimait tout chez cette fille : sa façon de se mouvoir avec autant de grâce, sa chevelure d'un noir de jais, et surtout la timidité dont elle faisait montre, se risquant à peine à jeter un regard en sa direction. Ce dernier fait aiguisait sa curiosité et l'émoustillait…

Sakina, pour sa part, n'osait en effet regarder le beau jeune homme qui l'avait heurtée si abruptement. Ses cousines, ayant remarqué son trouble, ne cessaient de l'enquiquiner et voulaient qu'elle sorte du coin où elle était terrée, afin qu'Ousmane puisse la contempler à son aise, et ainsi admirer son immense beauté…

Elle surmonta la gêne qui l'habitait et se campa, bien droite sur la piste, et se mit à onduler, telle une liane, au son du *Rythm' n Blues* qui passait… Ousmane, hypnotisé, ne fit rien d'autre que la dévorer des yeux… Il mûrissait un plan pour la revoir, car de toutes les filles qu'il avait rencontrées, il sentait que celle-ci se distinguait… Et rien ne lui plaisait tant que le mystère. Et Sakina était non seulement belle, mais aussi mystérieuse…

Et cerise sur le gâteau, Ousmane avait perçu qu'il ne lui était pas indifférent… Ne restait plus qu'à la revoir, et ainsi en savoir un peu plus sur cette belle plante.

La soirée tirait à sa fin…

Sakina et ses deux compagnes, quant à elles, se dirigeaient vivement vers la sortie… Il était un peu plus de 4 h du matin, et elles avaient une heure devant elles avant de rentrer. Il leur fallait être à la maison avant que leurs pères respectifs, Thierno Omar et Amadou, ne les réveillent pour la prière de *Fadjr**

Elles avaient pour habitude de s'installer dans une dibiterie, le *Mélakh**, juste en face de la boîte où elles mangeaient du *dibi** accompagné de verres de jus de bissap bien frais, tout en commentant la soirée qu'elles

29

venaient de passer, avant de regagner la maison familiale.

Ce samedi-là ne dérogeait pas à la règle.

Aussitôt attablées, la conversation tourna essentiellement autour d'Ousmane, le bel éphèbe qui avait heurté Sakina sur la piste du New-Yorker.

– Ce que je regrette le plus, s'écria Bousso, la plus téméraire des trois, c'est que tu n'aies pas mis tes attributs (féminins) en avant, de façon à ce qu'il voie à quelle belle nymphe il avait affaire !

– Mais que voulais-tu qu'elle fît ? lui rétorqua Salamata, entre deux bouchées de *dibi** accompagnées d'une gorgée de bissap*… Elle n'allait quand même pas s'offrir à lui, qui plus est dans une boîte de nuit, au vu et au su de tout le monde !

Sakina, qui s'était installée dans une douce torpeur, et avait à peine touché à son assiettée de viande grillée, fut tirée de sa rêverie par les chamailleries de ses deux cousines.

À entendre le mot « jeune homme », elle sut qu'elles parlaient de celui qui occupait ses pensées en cet instant précis, et sortit de sa rêverie.

– Mais comment faire pour le revoir ? Pensez-vous que je lui plais ?

– Évidemment que tu lui plais ! Cela saute aux yeux ! s'écrièrent en chœur Bousso et Salamata, ravies de voir que Sakina était sur la même longueur d'onde qu'elles.

– Tu n'as pas vu comme il n'a pas arrêté de te regarder toute la soirée durant !

– J'espère juste que c'est un habitué du New-Yorker, ainsi samedi prochain, si tout va bien, j'aurai la chance de tomber sur lui à nouveau.

– Il faut que je mette toutes les chances de mon côté ! Car n'oubliez pas que dans quelques jours, nous mettons le cap sur Bâydel, où c'en sera fini de nos sorties et autres amusements dont nous sommes si friandes !

– Oh oui, tu as raison ! Nous reviendrons samedi prochain, et à y penser, peut-être même vendredi... Et Dakar n'est pas une si grande ville que ça, nous aurons la chance de tomber sur lui de nouveau, rétorqua Bousso.

– Et dépêchons-nous de partir, car *Baba** Omar ne manquera pas de nous réveiller pour prier...

Les filles se hâtèrent de terminer leur collation et rentrèrent au bercail. Comme l'avait prédit Bousso, près de vingt minutes après leur arrivée et à peine s'étaient-elles glissées entre les draps, qu'elles furent réveillées par les coups insistants de Thierno Omar qui les sommait de venir faire leurs ablutions et de prier avec le reste de la maisonnée : « *Soukaabé, oummé djouléne** ! »

Ousmane, son ami Abdoulaye à ses côtés, marchait d'un pas alerte dans l'aube naissante...

Économisant jusqu'au dernier centime gagné, il se passait de certaines choses comme le déplacement en taxis, à la sortie de la discothèque, et préférait marcher...

– Mais boy, lui dit Abdoulaye, je ne t'ai pas reconnu ce soir ! Toi qui d'habitude si alerte et convivial et papillonnant de fille en fille, semblais obnubilé par cette nymphe sortie de je ne sais où !

– C'est ce qu'on appelle l'amour, mon pote ! lui répondit Ousmane d'une voix irritée, agacé que son ami se moque de lui…

– L'amour ? Toi amoureux ? Tu ne crois pas que tu extrapoles un peu, là ? Je te connais Ousmane… Tu es incapable d'éprouver de l'amour pour qui que ce soit, sinon envers ta propre personne ! Dis plutôt qu'elle te plaît, car elle est jeune, ravissante, et surtout elle aiguise ta curiosité…

Ousmane, piqué au vif que son ami ait vu aussi clair en lui, ne répondit rien, se contentant de hocher la tête, en pressant le pas. En son for intérieur, il savait qu'il y avait une part de vérité dans ce que lui avait dit Abdoulaye… Mais, ce qui lui importait le plus en cet instant précis, c'était de revoir Sakina… Il ne savait pas où et quand, mais il la reverrait à coup sûr.

Chapitre 4

Rencontre plus tôt que prévue

Le reste de la semaine se passa sans problèmes, entre les courses en vue du prochain voyage vers Bâydel, que la famille devait rallier le lundi suivant, où les réceptions et les soirées en tout genre continuaient à se tenir dans la cour de la maison des Parcelles Désassainies...

Car Amadou et Mariam Bâ, aussi bien à Paris qu'à Dakar, recevaient beaucoup et comptaient quantité d'amis parmi les notables Hal pulaar résidant à Dakar. De ce fait, tous les soirs ou presque, la maison bruissait au rythme des conversations des invités qui se comptaient par dizaines...

Les filles, Sakina, Bousso et Salamata, du fait de la pluralité des hôtes de marque, avaient fort à faire, notamment dans la cuisine... Car la maison ne désemplissant pas, les plats se suivaient pour nourrir les visiteurs et étancher leur soif : couscous, accompagné de quartiers de viande grillée, riz au poisson, outres de lait caillé...

Les soirées se poursuivaient fort tard dans la nuit, et étaient quelquefois agrémentées de récits de quelque conteur qui venait déclamer des histoires anciennes toucouleur, ou encore en artiste polyvalent, chanter les louanges du couple Bâ ou de quelques-uns de leurs illustres invités...

Les trois cousines, que ces soirées n'amusaient en rien du tout, non seulement en raison de la pluralité des tâches ménagères dont elles devaient s'acquitter, mais aussi en raison de l'ennui que leur inspiraient ces soirées, car l'assemblée était formée pour la plupart de camarades de leurs parents. Elles n'y avaient donc aucune congénère, de sorte qu'elles expédiaient la vaisselle et le ménage aussi rapidement que possible, pour pouvoir se retirer dans leur chambre et converser à leur aise.

– Déjà une semaine que je suis là, et nous ne sommes sorties qu'une fois ! Mises à part les quelques menues courses effectuées çà et là… Je parle de « vraies » sorties, où nous serons seules et pourrons nous défouler comme il se doit !

Ah mes parents et leurs sempiternelles soirées !

– *A hâli gonga dé bandaam** réagirent en chœur les jumelles… Nous n'avons pas eu une minute à nous ! Mais puisque le départ pour Bâydel est pour bientôt, j'ose espérer que la cadences des réceptions s'amoindrira, renchérit Bousso…

– À propos, leur répondit Salamata, je viens d'y penser… Nous devons nous coiffer chez Yaay, comme chaque année… Cette séance de coiffure sera un prétexte pour nous échapper un petit peu et aller faire un tour du côté du marché Sanagra, et ainsi humer l'air estival de Dakar !

C'était tout à fait vrai. Comme l'avait fait remarquer Salamata, les trois demoiselles Bâ allaient se faire tresser chaque année chez Yaay, une dame qui officiait dans un salon de coiffure très réputé. Celle-ci, aidée de trois assistantes, avait aménagé un coin de sa demeure en salon de coiffure. Elle était fort connue de toutes les jeunes filles et des dames de Dakar, en raison des somptueuses coiffures qu'elle réalisait, mais aussi des prix abordables qu'elle proposait.

Il fut donc décidé qu'elles demanderaient la permission le lendemain, afin de finir leurs coiffures au plus vite et de couler des jours tranquilles à Dakar, avant d'aller au village.

Le lendemain soir donc, après le souper qui avait consisté en un succulent *nyiiri bounaa**, Sakina dit à sa mère qu'elle souhaitait aller se faire coiffer en compagnie de Bousso et Salamata. Mariam, que l'idée de savoir Sakina hors de son contrôle emplissait d'inquiétude, fut quelque peu tranquillisée par le fait qu'elle ne serait pas seule. Elle remit aux filles la somme nécessaire à l'achat d'onguents assouplissants pour leurs cheveux, en sus du prix des coiffures, non sans force recommandations : « Faites attention, ne parlez pas aux inconnus, ne traînez pas trop au-dehors… »

Bodiel, la maman des jumelles, renchérit en les pressant de ne pas s'attarder et de revenir à la maison sitôt leur activité terminée.

Celles-ci, toute à leur impatience d'arriver au lendemain, ne firent rien d'autre qu'acquiescer.

Elles se réunirent toutes les trois après ceci pour une partie de *wooré**, qui les occupa une bonne partie de la soirée. Et vers minuit, elles allèrent se coucher, car une journée fort chargée les attendait.

Elles se réveillèrent à l'aube, pour pouvoir profiter pleinement de cette journée. Le salon de coiffure de Yaay se situait au centre-ville, de sorte qu'il leur fallait prendre un taxi pour s'y rendre. Arrivées sur les lieux, elles furent accueillies par la patronne des lieux qui, les connaissant de longue date, se faisait toujours une joie de s'occuper de leurs beaux et soyeux cheveux.

Yaay leur fit de fines nattes enroulées au sommet de la tête, avec force arabesques dont elle avait le secret, ce qui remplit de joie ses clientes. La séance de coiffure se termina assez tôt dans l'après-midi. Les demoiselles Bâ s'étant rendues fort tôt au salon de beauté, au moment où il n'y avait pas une grande affluence. C'est quasiment alors qu'elles prenaient congé que les premières clientes commençaient à arriver.

Aussitôt dehors, les trois filles se regardèrent, d'un air de conspiratrices. N'ayant pas besoin de parler, elles pensaient toutes à la même chose : aller écumer le centre-ville et profiter pleinement de cette belle journée ensoleillée.

Mais Sakina, dans un sursaut d'inquiétude, s'écria : « Si maman ou Néné Bodiel nous demandent pourquoi nous avons autant tardé, nous leur dirons qu'il y avait beaucoup de monde au salon, n'est-ce pas ? »

– Mais bien sûr, que crois-tu ? C'est ce qu'on dira ! lui répondirent en chœur ses deux acolytes.

Après de brefs conciliabules, les filles débutèrent leur petite escapade par le marché Sanagra, grouillant endroit où toutes les couches sociales de Dakar se pressaient. Sakina humait avec délice, comme à chaque fois, les différentes senteurs : épices, légumes, viande, poisson vendus à même le sol, les vendeurs à la sauvette qui proposaient étoffes bariolées, bibelots, bijouterie… De même que les marchandages qui s'étiraient, le paysage hétéroclite qui faisait le charme de Sanagra, haut lieu de la vie du Dakar d'alors, cette masse de couleurs et de senteurs requinquait Sakina et la comblaient de bonheur.

Quittant le marché Sanagra, les trois comparses bifurquèrent vers le Plateau, quartier des affaires qui abritait les banques, compagnies d'assurance, sociétés privées, en somme le gros de l'activité économique de Dakar…

Elles firent le tour des édifices, admirant au passage le mélange de tradition et de modernité qui faisait la particularité, mais aussi la beauté de certains d'entre eux…

Tout en devisant gaiement, les trois jeunes filles avaient parcouru quasiment tout le quartier du Plateau à pied et étaient arrivées devant la Banque Afreeka, l'une des plus importantes de Dakar, sinon la plus importante.

C'était le bâtiment dont Ousmane assurait la surveillance la journée, suppléé par Abdoulaye la nuit. Ce n'est qu'une fois arrivées devant l'édifice de chrome et d'acier que Sakina s'arrêta tout net. Elle avait vu Ousmane de l'autre côté de la vitre, assis devant la petite table à partir de laquelle il filtrait les entrées.

Ses compagnes, ayant perçu son trouble, suivirent son regard et virent Ousmane qui, n'ayant pas perdu de temps, s'avançait déjà à grandes enjambées vers elles. Avant qu'elles n'aient pu se concerter, ne serait-ce que par le regard, il était devant elles. « Bonjour », leur lança-t-il, en fixant intensément Sakina du regard. « Bonjour », lui répondirent les trois demoiselles Bâ.

– Mais je vous reconnais ! Vous êtes les trois belles jeunes filles qui avez illuminé le New-Yorker samedi passé...

– C'était bien nous, en effet, lui répondit hardiment Salamata, prenant les devants, avant que le silence gênant ne s'éternise.

– Tu étais très belle, dit Ousmane, se tournant vers Sakina, tout en lui effleurant légèrement l'épaule. Comment t'appelles-tu ?

– Sakina, lui répondit timidement celle-ci... Sakina Bâ, et voici mes cousines Bousso et Salamata Bâ.

Après s'être présenté à son tour, ils échangèrent quelques banalités, histoire de mieux se connaître. Mais, ils étaient en pleine rue et ce n'était guère le lieu pour tailler bavette.

Ousmane demanda aux trois filles ce qu'elles avaient de prévu le vendredi suivant, car il souhaitait les inviter à passer la soirée avec Abdoulaye et lui au New-Yorker.

Les filles lui donnèrent leur accord. Rendez-vous fut donc pris le vendredi au New-Yorker.

Au moment de prendre congé, Bousso et Salamata s'éloignèrent discrètement, laissant à Ousmane et Sakina le soin de pouvoir échanger quelques mots en aparté ; car tout le temps qu'avaient duré leurs échanges, Ousmane n'avait eu d'yeux que pour Sakina. Elles n'en faisaient pas ombrage, loin de là... Car pour une fois qu'elles voyaient leur cousine s'intéresser autant à un garçon, elles la poussaient allègrement dans ses bras.

Sitôt qu'elles eurent tourné le dos, Ousmane pressa un peu plus fortement la main de Sakina dans la sienne et lui dit, de cette voix qui faisait chavirer la gent féminine : « Je n'aurai jamais cru pouvoir te revoir à nouveau ! C'est une rencontre vraiment inespérée… » Sakina, sur le même ton enjôleur et avec un aplomb dont elle ne se serait jamais crue capable, lui répondit : « Et moi donc ? Grâce au ciel, je te revois ! Mais il faut vraiment que je parte, à vendredi ! »

Et elle s'en fut rattraper ses cousines qui l'avaient quelque peu distancée.

« Quand je raconterai ça à Abdoulaye, il ne me croira jamais ! » se dit intérieurement Ousmane, pressé qu'il était d'arriver à vendredi pour sortir le « grand jeu » à Sakina.

Sur le trajet du retour, ses cousines ne l'importunèrent guère et ne firent aucun commentaire. Une fois arrivées à la maison, elles ne se firent pas sermonner par leurs parents, car ceux-ci avaient des visiteurs et avaient donc fort à faire. Le dîner se passa paisiblement, et les filles se retirèrent une fois celui-ci terminé.

Le reste de la semaine se passa sans anicroche. Le jeudi suivant, sitôt la vaisselle terminée, les trois complices prétextant du rangement à faire, s'enfermèrent à double tour pour planifier leur soirée du lendemain.

– Que vais-je porter ? se lamentait Sakina, en faisant les cent pas dans la pièce.

– Habille-toi de façon à mettre tes formes en valeur ! lui conseillèrent ses deux cousines. Le plus gros du travail, c'est-à-dire l'avoir dans ta poche, est déjà effectué, alors abats tes dernières cartes !

Après moult essayages, elle opta pour une robe longue faite d'un tissu satiné, dont la fente montait assez haut sur la jambe, et des sandales à brides et hauts talons. Pour la coiffure, elle laisserait ses nattes en l'état, lui encadrant son fin et harmonieux visage qu'elle maquillerait légèrement.

– Il ne reste plus qu'à prier pour que Baba et Néné n'invitent personne demain soir et qu'ils aillent se coucher tôt !

– Ne t'inquiète pas *bandaam** chérie, nous ferons des douas* en ce sens ! Cette soirée sera mémorable !

Elles allèrent se coucher sur ces paroles.

Le lendemain étant un vendredi, Amadou, accompagné de son frère Thierno Omar, alla prier à la grande mosquée. À leur arrivée, toute la famille déjeuna de bon appétit d'un *mbakhal** que Mariam, cette fois-ci, avait concocté.

La traditionnelle séance de dégustation de thé s'ensuivit, ainsi que celle des mangues, fruit de la saison. Amadou et Mariam profitaient encore de la quiétude de Dakar, avant le départ pour Bâydel, où ce ne serait que veillées nocturnes, visites incessantes de parents et amis, et où donc le repos n'aurait pas sa place.

La soirée se passa tout aussi tranquillement ; et après un petit moment dans la cour, histoire de digérer le léger dîner, ce fut l'heure d'aller se coucher. Mais pas pour tout le monde…

Ce fut le signal pour les demoiselles Bâ de commencer les préparatifs, en vue de la soirée qui les attendait... Sakina, ayant déjà choisi ce qu'elle allait mettre, laissa aux deux autres le soin de chercher dans ses affaires ce qu'elles pourraient porter, de façon à trouver des tenues adaptées pour la palpitante soirée qui s'annonçait...

Apprêtées, maquillées et parfumées, elles patientèrent un petit moment avant de s'aventurer hors de la maison.

Ousmane, dès sa journée de travail terminée le jour de sa rencontre avec Sakina, attendit qu'Abdoulaye, comme à l'accoutumée, vienne commencer son service. Lorsqu'il le vit s'avancer devant l'immeuble, Ousmane s'élança à sa rencontre : « Mais boy, devine qui j'ai vu aujourd'hui ? »

Sans laisser à son ami le soin de répondre, il continua : « Sakina, la fille du New-Yorker ! » Abdoulaye, quelque peu interloqué, bredouilla : « Vraiment ? Si cela s'avère être vrai, on dirait que la Providence l'a remise sur ton chemin, mon vieux ! »

Ousmane, rassemblant ses affaires au plus vite, lui répondit tout en courant vers la sortie : « Je le crois aussi ! On en reparlera à la maison ! » Il était pressé de rentrer chez lui, afin de pouvoir passer en revue les costumes qu'il possédait. Il en avait un en tête, mais voulait avoir le choix... Arrivé dans sa mansarde, il étala les cinq complets sur son lit, pour finalement opter pour celui auquel il avait initialement pensé : un complet de flanelle marron à fines rayures beiges, assorti d'une chemise en lin blanche, le tout complété par des chaussures vernies à bout effilé, et must du must de l'époque, un chapeau Stetson à large bord en feutre.

Ainsi paré, ce vendredi soir, Ousmane, accompagné d'Abdoulaye, fit son entrée au New-Yorker. Il trouva d'emblée une table en face de la porte, de sorte que quand Sakina arriverait, elle ne pourrait le louper.

Et ce fut le cas…

Dès leur entrée, toutes les têtes se tournèrent vers elles. Elles se dirigèrent droit vers la table à laquelle Abdoulaye et Ousmane avaient pris place quelques instants auparavant. Car comme celui-ci l'avait prédit, elles l'avaient aperçu sitôt arrivées. Pendant qu'elles s'installaient, les présentations furent faites, car Abdoulaye ne les connaissait pas encore.

Dès lors, Ousmane entreprit de déployer les grands moyens et de faire du charme à Sakina, en tant que pur « boy Dakar » qu'il était : les rafraîchissements coulaient à flots, il était prévenant à souhait, envers la jeune fille qu'il considérait d'ores et déjà comme étant sienne à part entière, et avait passé un bras possessif autour de ses épaules.

Quant à Sakina, elle appréciait ce sentiment de protection et laissa à Ousmane le soin de décider de tout : du choix des boissons, du morceau sur lequel ils allaient danser et, surtout, elle adorait la manière qu'il avait de la regarder si intensément…

Quand le disc-jockey mit un morceau de slow*, Ousmane invita Sakina à danser et, la tenant étroitement serrée contre lui, ils ondulaient doucement sur la piste. Sakina, pour qui tout cela était relativement nouveau, car n'ayant jamais été aussi proche d'un homme, se sentait bien, merveilleusement bien… Elle se laissait doucement aller sur le torse d'Ousmane, quand elle l'entendit lui chuchoter doucement : « Ne trouves-tu pas qu'il fait un peu chaud ici ? Sortons prendre l'air ! »

En effet, le dancing, plein à craquer, refusait du monde en ce vendredi de la période estivale où vacanciers, étudiants et jeunes cadres étaient venus profiter du week-end qui s'annonçait. Les filles avaient revêtu leurs plus belles robes et parures, et les garçons n'étaient pas en reste avec leurs beaux costumes, et tout comme Ousmane ce soir-là, leurs souliers vernis à bouts pointus qui brillaient dans la nuit.

Ousmane chercha un coin tranquille où s'isoler avec sa jeune amie. Tout en allumant une cigarette, il étala sa veste sur le petit muret qui était à proximité pour qu'elle puisse s'y asseoir. « Je dépenserai encore 10 000 F CFA au pressing pour nettoyer cette veste, mais c'est pour la bonne cause… », se dit-il intérieurement, tout en détaillant plus attentivement Sakina, à la lumière blafarde du lampadaire qui les surplombait.

La robe moulante, mais d'une bonne coupe, les chaussures qui avaient dû couter assez cher, le sac, les bijoux discrets, mais raffinés… « En plus, elle est d'une beauté à couper le souffle », se dit-il encore une fois… Ce qui était vrai : le cou gracile, les poignets fins, les yeux légèrement fardés, la demoiselle Bâ resplendissait. De par cet examen minutieux, Ousmane avait déjà classé Sakina dans la catégorie « personnes de bonne famille », car dans son ascenseur social, certains signes ne trompaient aucunement…

Il toussa légèrement, gêné par la fumée âcre de la cigarette… Ousmane fumait rarement, et surtout lorsqu'il se trouvait en compagnie d'une jolie femme, car la cigarette qu'il tenait entre ses doigts fins le faisait ressembler aux dandys qu'il admirait sur papier glacé.

Tout en fumant, il attira doucement, mais fermement Sakina plus près de lui, et lui dit de cette voix de baryton qu'il maîtrisait à la perfection : « Parle-moi un peu plus de toi… »

Alors Sakina s'exécuta…

Bien que ne connaissant pas Ousmane depuis fort longtemps, elle le considérait d'ores et déjà comme faisant partie de sa vie. Raison pour laquelle elle se confia à lui sans fioritures… Elle lui parla de sa vie en France, des cours qu'elle suivait à la fac, cours auxquels elle n'allait que sous la contrainte de ses parents, l'ennui qu'elle éprouvait dans cette vie parisienne si monotone, la joie qu'elle ressentait au moment de venir en vacances au Sénégal, où elle retrouvait ses chères cousines et amies.

Dès qu'elle prononça le mot « France », Ousmane fut tout ouïe… Au début de son récit, il trouva Sakina très enfantine et un tantinet candide, ce qui avait le don de l'agacer fortement, mais il n'y fit rien paraître et continua tranquillement à l'écouter.

Son attention fut donc redoublée quand il sut que Sakina résidait dans l'Hexagone, et plus précisément à Paris, la ville de ses rêves. Les murs de sa chambre étaient tapissés d'images qui faisaient l'apologie de cette ville, et les magazines de mode qu'il collectionnait montraient l'élégance des Parisiens. Et Ousmane se voyait tel quel.

Il feignit autant que possible d'afficher un air désintéressé, tout en pressant Sakina de questions sur sa vie « là-bas ». La jeune fille s'y prêta de bonne grâce, et au terme de ce long monologue, elle voulut en savoir un peu plus sur Ousmane à son tour. « À toi maintenant » lui dit-elle d'un ton enjoué.

Le jeune homme, qui n'abhorrait rien autant que parler de ses origines modestes, fut quelque peu désarçonné. Il relata, mais fort brièvement, son enfance, sa vie dans son village avec ses parents et ses frères.

Il mit beaucoup plus l'accent sur sa vie à Dakar qui, de son point de vue, valait plus la peine d'être narrée. Devant une Sakina conquise, il exagéra quelque peu ses compétences, en mentionnant au passage qu'il n'occupait cette fonction de gardien d'immeuble « que » pour le moment, et qu'il aspirait à bien plus. Ayant fini, il alluma une autre cigarette, histoire de se donner une contenance après sa longue tirade truffée d'embellissements.

N'ayant même pas remarqué qu'il avait fini de parler, Sakina le dévorait toujours des yeux, dans une béate attitude admirative. C'est quand Ousmane toussota légèrement, et se pencha pour écraser son mégot, qu'elle remarqua qu'il s'était tu.

Se relevant, il tira abruptement Sakina à lui. Elle trébucha sous l'effet de la surprise… La plaquant contre son torse, Ousmane s'empara avidement de ses lèvres. Sakina, pour qui tout cela était nouveau, car n'ayant jamais embrassé un homme de sa vie, se laissa guider et y prit rapidement goût.

Au terme de ce langoureux baiser, elle se serra plus étroitement contre le torse de son compagnon et, en cet instant précis, fut habitée par un sentiment jusque-là inconnu.

Tout comme les héroïnes des romans à l'eau de rose qu'elle affectionnait tant, tous les signes étaient là : elle se sentait merveilleusement bien, ses mains étaient moites malgré la fraîcheur ambiante de cette soirée estivale, elle ne maîtrisait plus les battements de son cœur, et surtout, elle ne pouvait détacher son regard de ce visage à l'ovale parfait, orné d'une mâchoire volontaire, de deux beaux yeux ténébreux et d'un nez aquilin. En son for intérieur, elle se dit : « alors, c'est ça l'amour »…

Ousmane, de son côté, était à mille lieues de ses considérations. Se remémorant sa conversation avec Abdoulaye, le premier jour qu'il avait vu Sakina, il ne put s'empêcher de secouer la tête, car son ami avait raison. Il n'était pas amoureux, comme il l'avait prétendu, mais éprouvait pour cette belle fille une vague affection, affection cependant suffisante pour le pousser à se dire, à son tour, « je vais épouser cette fille ! »

En sus de cette affection, Sakina manifestait une qualité qu'Ousmane appréciait grandement chez les femmes : elle faisait preuve d'une ardeur complaisante à son égard… Ce qui avait le don de flatter son ego surdimensionné, de sorte qu'il pouvait manipuler Sakina à sa guise.

S'étant éclipsés durant presque trois tours d'horloge et commençant à avoir un peu froid, ils pressèrent le pas pour retourner dans la boîte et retrouver leurs compagnons.

La soirée battait son plein lorsqu'ils réapparurent. En l'absence des deux tourtereaux, les jumelles avaient fait plus ample connaissance avec Abdoulaye. Tous les trois étaient sur la piste de danse, se trémoussant au son du funk, cette danse venue des États-Unis et qui faisait fureur à Dakar… Ils se joignirent à la joyeuse bande et tentèrent de rattraper le retard accusé.

Ils firent ainsi la fête jusqu'au petit matin.

Et quand Sakina consulta sa montre, il était près de 4 h 30 du matin… Elle se rapprocha de Bousso et lui glissa à l'oreille : « nous devons y aller ! » L'heure du retour avait sonné, car comme toujours lorsqu'elles étaient sorties se distraire, elles faisaient leur possible pour regagner la maison avant la prière de *Fajr**.

Voyant les filles s'éloigner en direction de la table où elles avaient laissé leurs affaires, les garçons leur emboîtèrent le pas. « Ne me dis pas que vous partez déjà ! » dit Ousmane à Sakina en lui prenant le bras. « Si, nous devons rentrer, il est tard ! » lui répondit-elle, en prenant soin d'ajouter « avant que mon père ou mon oncle ne viennent nous réveiller pour prier ». « Mais vous ne pouvez pas partir comme ça, prenons au moins un dernier verre ! » insista Ousmane.

Ils sortirent tous et s'installèrent au bistrot le Dakar, non loin de la boîte, histoire de siroter un verre de bissap* ou de bouye*, et achevèrent de se reposer après cette exténuante soirée. Ousmane, voulant profiter des derniers instants qu'il lui restait, en compagnie de sa belle, lui demanda : « on se revoit demain ? » Sakina, quoiqu'enchantée qu'il veuille la revoir aussi promptement, murmura : « Demain ? Impossible ! Nous partons tous au village de mes parents pour une semaine, et nous aurons fort à faire à la maison… »

Ousmane, ne voulant pas s'avouer vaincu, renchérit : « Je pourrais venir te rendre visite alors ! » Sakina, interloquée, le regarda avec de grands yeux : « Tu n'y penses pas ! Mes parents me tueraient ! »

Ousmane dut se rendre à l'évidence qu'il ne reverrait pas Sakina de sitôt. « Tu reviens quand ? » lui lança-t-il, désappointé. Sakina, tout aussi déçue, lui expliqua que chaque année, leurs vacances étaient divisées en deux : quinze jours à Dakar et quinze autres jours à Bâydel. Elle ne pouvait résolument pas se soustraire à ce rituel… Ils se rendirent compte qu'il n'y avait pas d'échappatoire possible et se promirent de se revoir au retour de Sakina. Elle promit à Ousmane de venir lui notifier son arrivée, à son lieu de travail même, et ils programmeraient une autre sortie, en tête à tête cette fois-ci.

Au moment de monter dans le taxi qui les ramenait ses cousines et elles à la maison familiale, Ousmane lui donna un autre baiser, assez chaste celui-là, en raison de la présence des jumelles et d'Abdoulaye.

Sakina et ses cousines dirent au revoir à Abdoulaye et s'engouffrèrent dans la voiture. Une fois dans le taxi, elle ne put contenir plus longtemps les larmes qu'elle refoulait depuis longtemps… Ses compagnes tentèrent tant bien que mal de la consoler, mais peine perdue, elle était affreusement triste.

Avec l'irrationnelle cécité de quelqu'un qui se fonde sur sa définition erronée de l'amour, elle se mit à maudire ses parents, leur tradition archaïque d'aller à

Bâydel, tous les ans, lors de leurs vacances au Sénégal, alors qu'ils auraient tout aussi bien pu rester à Dakar…

Dans son aveuglement, elle oubliait qu'elle adorait le fait d'être traitée en princesse et choyée à Bâydel, car Amadou Bâ, son père, faisait partie de la lignée fondatrice du village. Et de ce fait, tous les égards lui étaient dus, ainsi qu'à son frère Thierno Omar, quand ils y séjournaient.

Mais cette année, les réjouissances et autres veillées nocturnes, qui seraient à l'honneur durant leur visite, n'enchantaient guère Sakina. Pour la première fois, elle aspirait à autre chose et étouffait dans cette monotonie. Tout ce qu'elle voulait, c'était être avec Ousmane… Toutes ses pensées étaient tournées vers lui présentement.

Quant à son prochain retour en France, elle ne voulait même pas y penser, car la seule perspective d'être loin d'Ousmane lui était insupportable…

Toute à ses préoccupations amoureuses, ce n'est que quand elle vit ses cousines s'extirper du véhicule qu'elle remarqua qu'elles étaient arrivées à destination. Elle régla la course, et à pas de loup, suivit Bousso et Salamata qui s'acheminaient vers leur chambre.

Une trentaine de minutes après, elles furent réveillées pour prier et se rendormirent. Les filles eurent l'impression qu'elles n'avaient dormi que deux petites heures lorsque Mariam, suivie de sa belle-sœur Bodiel, vint les presser de se lever.

Quantité de tâches les attendaient, et pas des moindres. En plus de devoir récurer la maison de fond en comble, car celle-ci allait être fermée longtemps, il leur fallait emballer les affaires à emporter, faire des provisions d'eau pour le trajet, et aussi amener des présents pour la famille du Fouta* : bijoux, produits cosmétiques, chaussures, étoffes…

De plus, Amadou et Mariam emportaient aussi, comme à chaque fois, un stock important de médicaments : comprimés effervescents, sirops contre la toux, onguents contre les douleurs musculaires et autres antidotes, car il faisait une extrême chaleur à Bâydel…

Les bagages empaquetés, la maison nettoyée, les femmes s'attelèrent à la préparation du repas de midi, tandis que Thierno Omar et Amadou se rendaient à la gare routière de la capitale afin d'affréter une camionnette qui pourrait les transporter à Bâydel.

Après d'âpres négociations, le prix du voyage fut fixé à 45 000 F CFA, prix fort onéreux, mais en raison des bagages qu'ils transportaient, une plus-value leur avait été facturée.

Le départ fut donc fixé à 6 h du matin, le lundi.

Le repas de midi terminé, la vaisselle faite, les filles furent autorisées à se retirer dans leur chambre, car elles avaient assez travaillé pour la journée.

Depuis leur sortie, elles ne s'étaient pas retrouvées seules, pour se donner l'occasion de commenter leur folle soirée.

De but en blanc, Sakina déclara : « Je suis amoureuse d'Ousmane ! » Ses compagnes, médusées, lui répondirent en chœur : « Déjà ? N'est-ce pas prématuré ? »

Et Sakina, avec force arguments, entreprit de leur narrer l'exquis moment qu'elle avait passé en compagnie d'Ousmane, moment durant lequel ils avaient échangé un langoureux baiser, et que ce qu'elle éprouvait pour lui au plus profond d'elle-même était si intense que ça ne pouvait être que de l'amour !

Ses cousines, bien que sceptiques, crurent ce que leur racontait si volubilement Sakina, car elles ne voulaient que son bonheur après tout. Mais, elles lui recommandèrent de faire preuve de prudence ; car, même si Ousmane semblait épris d'elle, la jeune fille le connaissait à peine.

Sakina, toute à ses émois amoureux, écoutait ces conseils d'une oreille distraite et se disait que, pour une fois, elle n'était pas en phase avec Bousso et Salamata. Autant elle aimait les consulter sur divers aspects, autant aujourd'hui, elles n'étaient pas en mesure de la comprendre : « Elles ne sont quand même pas jalouses ? » se demanda-t-elle. Aussitôt, elle chassa cette vilaine pensée de son esprit.

Bousso et Salamata étaient comme des sœurs pour elles, elles l'épaulaient et l'assistaient perpétuellement. Toujours là pour elle, même quand Sakina regagnait la France, elle leur écrivait de longues missives et cette correspondance régulière l'emplissait de réconfort.

S'efforçant de chasser ces vilaines pensées de son esprit, elle afficha un air enjoué et la conversation prit un tour plus léger. Les trois jeunes filles se mirent à parler de leur séjour à Bâydel où elles s'ennuieraient ferme… Mais, comme elles étaient réunies, c'était l'essentiel.

Chapitre 5

Bâydel Mawdo, la Grande

Le départ fut pris pour Bâydel, le lundi comme convenu. À 6 h tapantes, tous les bagages avaient été chargés dans le coffre de la camionnette et ceux qui n'avaient pu y être mis, étaient solidement attachés sur le toit de la voiture.

Thierno Omar récita quelques versets coraniques, pour demander la protection divine et pour qu'Allah bénisse leur voyage.

Tout le monde s'installa : Thierno Omar à l'avant, à côté du conducteur, Amadou et Mariam sur la deuxième rangée, enfin Bodiel et les filles à l'arrière.

Le village de Bâydel était situé à l'Est du Sénégal. Distant de la capitale de cinq cents kilomètres, il fallait près d'une journée entière pour y accéder. Voyage qui était fort harassant, notamment à cause des nombreuses haltes, qui pour se désaltérer et se restaurer, qui pour se reposer avant de reprendre la conduite.

Peuplé de huit mille âmes, le village de Bâydel avait été fondé par l'arrière-grand-père de Thierno Omar et Amadou, et aussi grand-père par alliance de Mariam, le dénommé Thierno Suleiman Bâ.

Cinq siècles auparavant, ce patriarche, compagnon de Thierno Saïdou Ball, grand chantre de l'islam, après une tournée couronnée de succès dans tout le Sénégal oriental, pour procéder à une islamisation de masse des populations, avait déposé armes et bagages dans cette lande. Étant le premier occupant de cette contrée, il lui avait donné son nom, ce qui engendra Bâydel Mawdo, autrement dit Bâydel la Grande.

Quand il s'y est installé, la région n'était qu'une vaste bourgade aride. Les cases des quelques concessions construites au tout début avaient cédé la place à une « jeune » agglomération. Désormais, Bâydel, avec le concours de ses ressortissants dont un grand nombre était établi à l'étranger, s'évertuait d'être une ville « moderne ».

Toutes les habitations étaient pourvues de l'eau courante, de l'électricité, une cabine téléphonique était à disposition de ceux qui voulaient téléphoner à la famille et aux amis à l'étranger, le facteur procédait deux fois par semaine au ramassage et à la distribution du courrier… Mais la télévision demeurait un luxe, car rares étaient les demeures pourvues de la précieuse lucarne. Celle du vieux Amadou Bâ en faisait partie. Raison pour laquelle, même en son absence, la maison était occupée par quelques jeunes du quartier venus s'abreuver à cette intarissable source d'images que constituait la télévision.

Tout comme la maison des Parcelles Désassainies, la concession de Bâydel était occupée par un membre de la famille d'Amadou, en l'occurrence sa sœur aînée, Ramata Bâ. Ayant perdu son mari quelques années auparavant, elle avait regagné la maison de son frère sur la demande de celui-ci et en assurait, depuis, l'intendance.

La vieille Ramata se faisait une joie de recevoir, comme chaque année, ses deux frères et leur famille. Ayant été informée de leur arrivée quelques jours auparavant, elle s'activait à accueillir ses illustres hôtes. La concession avait été nettoyée de fond en comble, deux moutons tués et dépecés, et ses filles aidées de quelques voisines s'employaient à préparer un vrai festin, composé de couscous à la sauce au mouton, d'outres de lait caillé, d'innombrables bouteilles de bissap* et de bouye*.

Pendant ce temps-là, lesdits hôtes étaient toujours en route. Après une halte d'une heure qui leur avait permis de se restaurer et de se dégourdir les jambes, ils avaient repris la route et n'étaient distants à présent de Bâydel que de quelques kilomètres.

La chaleur était à son paroxysme. Tout le monde dans la voiture s'éventait. Sakina, surtout, n'en pouvait plus de cette moiteur et ne désirait rien d'autre que de prendre une bonne douche et de s'allonger. Mais elle savait que ce serait quasiment impossible. Déjà qu'elle trouvait éreintant le rythme des réceptions données par ses parents à Dakar, à Bâydel, celles-ci étaient d'une tout autre nature…

Au village, ils étaient dans leur fief. Connus et appréciés de tous, ils y entretenaient d'excellentes relations avec les habitants. Le vieux Amadou ouvrait la porte de sa demeure à tout le monde, et dès qu'ils savaient qu'il était à Bâydel, tout un chacun désirait venir le voir. De ce fait, ce séjour à Bâydel n'était pas de tout repos.

Sakina adorait sa tante Ramata, qui était toujours d'une extraordinaire gentillesse avec elle, mais elle ressentait une irritation grandissante à la pensée d'être « coincée », dans ce patelin, deux longues semaines et se mit à prier pour qu'un événement écourte ce séjour et les pousse à rentrer à Dakar…

Inexorablement, ses pensées voguèrent vers Ousmane. Elle voulait savoir ce qu'il faisait, avec qui il était et surtout… s'il pensait à elle présentement.

À plusieurs kilomètres de là, le principal intéressé, assis à sa table poussiéreuse, avait la tête ailleurs…

Tous ses plans avaient foiré !

Ce départ de Sakina pour son village n'était pas prévu et contrecarrait sa volonté de passer quelques jours de plus en sa compagnie. Et voilà qu'elle était partie ! Cette soirée passée avec elle lui laissait un amer goût d'inachevé… Et il n'abominait rien tant que de ne pas arriver à ses fins. Mais elle avait promis de venir le voir à son retour. Et il savait qu'elle tiendrait parole, ou alors il n'y connaissait plus rien aux femmes…

Il ne lui restait plus qu'à attendre…

La voiture s'approchait de Bâydel. Elle avait dépassé le dernier rond-point au bout duquel apparaissaient les premières habitations. Dans un nuage de poussière, la camionnette bifurqua et s'engagea dans un chemin étroit de latérite et suivant les indications de Thierno Omar, le chauffeur trouva aisément la demeure des Bâ.

Dès qu'elle entendit les pneus de la voiture crisser, la vieille Ramata, qui avait passé la journée entière à guetter ce bruit, se précipita au-dehors : « *Ayyoo, Ayyoo, Seydi Bâ !** » se mit-elle à ânonner, en serrant tour à tour dans ses bras ses frères, leurs épouses et leurs filles, ses nièces bien-aimées.

Les effusions terminées, elle les précéda dans la vaste demeure avec des *Bisimilahi, Bisimilahi** la formule d'hospitalité de rigueur... Le chauffeur, aidé de deux des filles de *Néné** Ramata, se mit à décharger les innombrables bagages.

Tous les nouveaux arrivants s'installèrent sur les nattes installées le long de la véranda, où les attendait une petite collation : dattes, lait caillé, pain grillé, lait frais, miel et fruits de saison...

Tout en mangeant, ils prirent des nouvelles des familles des uns et des autres. Surtout Amadou et Mariam, car Bodiel et Thierno Omar s'efforçaient autant qu'il était possible de venir passer les fêtes musulmanes telles que l'Aïd El Fitr* et l'Aïd El Kébir* auprès de Ramata.

Ce repos, en prélude à leur arrivée, fut de courte durée, car la présence d'Amadou à Bâydel n'était pas passée inaperçue.

Les voisins convergeaient petit à petit vers la maison. Et ils amenaient, chacun un petit cadeau de bienvenue, le plus souvent d'ordre culinaire : calebasses emplies de couscous savoureux, bols de soupe, de riz, de sauce au mouton, de poisson séché, quartiers de bœuf grillé et de poulet, desserts savoureux...

Comme un seul homme et uniquement mus par la velléité d'honorer l'illustre fils de Bâydel qui était de retour parmi eux, les villageois rivalisaient de générosité.

La plupart d'entre eux, après les salutations d'usage et les souhaits de bienvenue, accompagnés de déférentes génuflexions et autres courbettes, se retirèrent, en promettant de revenir le lendemain. Les autres restèrent, sur injonction d'Amadou, qui souhaitait partager son souper avec ses congénères.

Parmi eux, se trouvait, comme à l'accoutumée, Hamidou Bâ, cousin d'Amadou et aussi de son griot, qui ne se séparait jamais de son *xalam**, attaché en bandoulière et qui se balançait à chacun de ses pas feutrés. Il prit donc son instrument, en affûta les cordes et, de sa voix gutturale, il se mit à déclamer l'histoire de la lignée des Bâ, de Thierno Suleiman Bâ, l'aïeul de Thierno Omar et Amadou. Ponctuée de « *Seydi Bâ* »*, sa litanie s'élevait dans la nuit noire et rafraîchissait quelque peu cette chaude soirée estivale.

Les convives, accompagnés de la voix de Hamidou Bâ qui s'élevait, mélancolique et puissante dans la nuit noire, mangeaient de bon appétit. La soirée se poursuivait, s'étirant paresseusement, indolemment, telles les cordes du *xalam** que le vieux griot grattait fiévreusement. Et une douce langueur gagnait peu à peu l'assemblée, de sorte que des bâillements commençaient discrètement à se faire entendre.

Après une prière d'au revoir et de remerciements dite par Thierno Omar, le plus âgé de l'assistance, les joyeux convives se dispersèrent dans la nuit, pour laisser la famille Bâ se reposer.

Le lendemain, Amadou et Mariam, accompagnés de Sakina, allèrent dans la famille de Mariam. Elle avait quelques sœurs qui résidaient encore à Bâydel. Ils passèrent la journée chez l'aînée de la famille, Sukeïna qui, en bonne maîtresse de maison, insista pour qu'ils restent le plus longtemps possible.

De leur arrivée jusqu'au coucher du soleil, la maison ne désemplissait guère. Mariam, n'ayant pas souvent l'occasion de côtoyer les membres de sa famille, se pliait avec une joie non feinte à ce rituel immuable de bienvenue. En France, la famille mono-nucléaire qu'elle formait avec Amadou et Sakina était d'un tout autre acabit et lui pesait lourdement. La résultante de ce vide autour d'elle résidait dans le fait qu'elle reportait le trop-plein d'affection et de compagnie qu'elle ressentait sur Sakina. Et maintenant, elle goûtait avec délices à ce brouhaha environnant, et elle se sentait plus que jamais fière de son apparte-nance à cette terre sacro-sainte de Bâydel.

Ils prirent congé et invitèrent les sœurs de Mariam à venir les voir en retour. Pressant le pas, ils se hâtèrent de rentrer, car Amadou avait une journée chargée qui l'attendait.

Très tôt, dès le premier chant du coq, il entreprit d'aller saluer l'ensemble des notables de la région qui, pour la plupart, avaient été des compagnons de son père, le regretté Thierno Al Hassan Bâ. Une par une, ils firent le tour de toutes les concessions de la ville, visitant les chefs de quartier, de canton, d'arrondisse-ment et toutes les autorités administratives. Tous se faisaient un plaisir de recevoir Amadou Bâ qui, en digne fils du terroir, contribuait activement à la vie économique, sociale et culturelle de la terre qui l'avait vu naître.

Après un copieux et succulent déjeuner, pour ne pas déroger à la tradition africaine et Hal pulaar*, Amadou, toujours accompagné de Thierno Omar, se rendit au cimetière de Bâydel.

À leur arrivée, ils se recueillirent d'abord sur le tombeau de leur célèbre aïeul, Thierno Suleiman Bâ. Ils prièrent pour le repos du saint homme. Ensuite, ils se dirigèrent vers la sépulture de leurs regrettés parents, située non loin de là. Un tombeau avait été aménagé pour Al Hassan et Sakina Bâ, l'homonyme de la fille d'Amadou. Celui-ci, au souvenir de sa tendre et pieuse mère, ne put s'empêcher de verser des larmes. La solennité du moment, la tristesse qu'il ressentait dus aux souvenirs qui affluaient le firent pleurer.

Essuyant prestement ses larmes, il se remit à réciter des versets coraniques pour le repos des défunts. La prière terminée, il s'en alla vers la maison familiale, avec un dernier regard en arrière.

Les jours suivants ne dérogèrent pas à la règle. Le rythme des visites fut le même, de sorte qu'Amadou n'eût pas un moment de répit.

Dans le souci de vouloir contenter tout le monde, il recevait des visiteurs jusque tard dans la nuit. Ceux-ci venaient parfois des villages environnants et passaient plusieurs jours dans la maison, sur invitation du maître de céans.

Le fait de marcher sur de longues distances, combiné au fait de rester assis de longues heures sur sa natte ne jouaient aucunement en sa faveur…

Amadou ressentait depuis quelques jours de vives douleurs dans les jambes…

De plus, il négligeait le traitement contre l'arthrite qu'il suivait en France. Son médecin le lui avait cependant vivement recommandé. Ces facteurs, additionnés à la chaleur suffocante qui régnait, le faisaient atrocement souffrir.

Raison pour laquelle un matin, ne l'ayant pas vu de la journée, tout le monde s'inquiéta.

À Mariam, qui l'avait réveillé de bonne heure pour la prière, il avait répondu qu'il souhaitait dormir quelques heures de plus. Surprise, mais désireuse de le laisser se reposer, elle avait vaqué à ses occupations.

N'ayant pas aperçu son père le matin ni l'aprèsmidi, Sakina prit le parti d'aller voir ce qui se passait. Quand elle toqua légèrement à sa porte, elle n'obtint pas de réponse. Elle poussa le loquet et retint un hoquet de surprise. Son père était couché en travers du lit, et se tenait la jambe gauche qui semblait avoir doublé de volume sous le fin voile de coton de son pantalon.

Elle s'avança dans la semi-obscurité, alluma la lampe et constata que son père souffrait atrocement. Se penchant vers lui, elle lui demanda : « *Baba, ko woni ?* »* Il lui répondit par monosyllabes, trop fatigué pour tenir des propos cohérents.

Apeurée, elle s'élança au-dehors, en quête de son oncle Thierno Omar.

Ils se groupèrent tous autour d'Amadou, qui leur confirma que ses crises d'arthrite avaient repris. N'ayant pas amené ses médicaments contre ces douleurs, il avait pris comme antidotes quelques anti-inflammatoires qui avaient, semble-t-il, accru le mal. Mariam, absente au moment des faits, car ayant passé la journée chez sa sœur, accourut dare-dare dès qu'elle fut informée.

La vieille Ramata, croyant que la dernière heure de son frère était malencontreusement arrivée, ne cessait de pleurer et de se lamenter avec des exclamations comme « *Wooy yégaam yo** » qu'elle lançait. Thierno Omar, la calmant comme il pouvait, prit en main les opérations. Il affréta une camionnette et, accompagné de Mariam et Sakina, s'en alla en direction du dispensaire du village de Guidelaam. Celui-ci, distant de Bâydel d'à peine une heure, assurait les soins des habitants de Bâydel et des environs. Le village de Bâydel, bien qu'étant équipé d'un dispensaire, était rattaché à la commune de Guidelaam, notamment concernant les interventions chirurgicales, les accouchements et les soins intensifs, raison pour laquelle ils s'acheminèrent vers Guidelaam.

À leur arrivée, le Dr Lam, médecin-chef en charge du dispensaire, les accueillit. Il prit rapidement Amadou en charge. Après l'avoir consulté, il constata que les anti-inflammatoires que son patient avait pris n'avaient eu aucune espèce d'effet. Il lui en fallait donc d'autres, plus puissants, tels que du Naprosyne®, du Voltarène® ou encore du Clinoril®. À son grand regret, après vérification dans la pharmacie, le toubib leur confirma qu'il n'en disposait pas.

Pestant contre le système de santé précaire de cette partie du Sénégal, Mariam se promit de ne pas oublier de ramener des médicaments en quantité suffisante lors de leur prochain séjour. Car ne pas pouvoir soigner un patient dans un tel état de souffrance était inacceptable !

Il ne leur restait plus qu'à rallier Dakar…

Pendant ce temps-là, la jambe d'Amadou enflait toujours… Il fallait partir, et vite !

D'un commun accord avec Thierno Omar, ils demandèrent au chauffeur de les conduire à Dakar. S'étant entendu sur le prix, ils retournèrent rapidement à Bâydel, afin de rassembler leurs bagages et, de prendre la route dans la nuit. Sitôt arrivés, et après avoir informé Bodiel et les filles, ce fut le branle-bas du départ. Les bagages empaquetés, ils se remirent en route.

La vieille Ramata ne consentit à se calmer qu'après avoir été assurée du fait que son frère bien-aimé ne souffrait que d'une inflammation bénigne. Bodiel et Mariam lui promirent de lui donner des nouvelles très vite.

Sakina, qui n'avait pas prononcé un mot, depuis qu'elle avait découvert son père dans la chambre, avait la mine défaite et était soucieuse. Celui-ci était souvent sujet à des crises de ce genre, et à chaque fois, il lui suffisait de prendre ses médicaments pour que la douleur s'en allât. Forte de ce constat, elle se rassurait intérieurement, et commençait à envisager la situation sous une nouvelle tournure : ils allaient à Dakar ! Et aller à Dakar était synonyme de retrouvailles avec Ousmane ! Elle avait pensé à lui tout le temps qu'elle était restée dans le Fouta et se languissait terriblement loin de lui.

À leur arrivée au village, six jours auparavant, elle avait cherché un moyen d'écourter leur séjour dans le Fouta par tous les moyens, mais peine perdue…

Et voilà que le ciel venait d'entendre ses prières ! Elle ne souhaitait pas, le moins du monde, à son père de tomber malade, mais l'élan qui la poussait vers Ousmane était plus fort que tout. Plus rien d'autre n'importait, et dans son jeune esprit où s'était installée la passion, aucune pensée cohérente n'y avait place.

Elle n'aurait su dire si c'était en raison de son excitation, de revoir dans peu de temps l'élu de son cœur, ou de la vitesse supersonique avec laquelle la voiture avalait les kilomètres, mais ils rallièrent Dakar en très peu de temps...

Chapitre 6

Retour impromptu à Dakar

Vers minuit, ils s'arrêtèrent devant la maison des Parcelles Désassainies...

Aussitôt, tout le monde descendit de voiture et s'activa : Sakina, sa tante Bodiel, Bousso et Salamata, à décharger les bagages, Thierno Omar et Mariam à aider Amadou, à sortir du véhicule.

Une fois qu'il fut laborieusement installé sur une chaise longue, Mariam s'activa à réorganiser la maison. Ceci étant fait, elle affréta un autre taxi qui les mena à l'hôpital Thomas Noël Isidore Sankara.

Amadou y fut rapidement pris en charge. Le diagnostic du médecin fut on ne peut plus sévère. Amadou ne s'était pas du tout ménagé, nonobstant son âge avancé. En outre, il souffrait de déshydratation, sa tension était basse, et il était très fatigué.

Raisons pour lesquelles, après lui avoir prescrit de puissants analgésiques qui soulageraient ses jambes endolories et lui avoir fait un prélèvement sanguin, le médecin décida de garder Amadou en observation durant une dizaine de jours, en vue de prévenir une éventuelle crise d'arthrite.

Mariam s'empressa d'aller acheter les médicaments à la pharmacie, et ayant été autorisée à demeurer aux côtés de son époux, durant son séjour hospitalier, elle fit un crochet par la maison, pour lui préparer un léger souper et rassembler quelques affaires. Tout en marchant, elle se morigénait de n'avoir pas été assez vigilante quant à la santé de son mari. Dans le souci de contenter tout un chacun, celui-ci avait oublié qu'il n'avait plus la vigueur de ses vingt ans. Et, voilà que leurs vacances prenaient une si triste tournure ! Mais heureusement qu'Amadou s'en tirait avec si peu, en fin de compte.

Une seule ombre subsistait au tableau : les allers et retours qu'elle serait amenée à effectuer entre la maison et l'hôpital l'éloigneraient de Sakina ; désirant toujours garder un œil sur sa fille, et surtout à Dakar où elle développait des velléités d'émancipation qu'elle n'osait pas avoir en France. Elle se rasséréna, somme toute, en sachant que Thierno Omar et Bodiel veilleraient sur sa fille bien-aimée.

Arrivée à la maison, elle informa les autres membres de la maisonnée de l'internement d'Amadou et signala qu'elle passerait durant les journées pour lui préparer ses repas. Embrassant sa fille avec effusion, elle lui dit que les visites seraient autorisées dès le lendemain. Dans un bol de fer blanc, elle versa la soupe de légumes, très légèrement épicée, que Bodiel avait expressément préparée pour son beau-frère. Elle mit dans un sac de voyage quelques effets pour Amadou et elle-même. Bodiel et Thierno Omar, sincèrement désolés qu'Amadou fût gardé à l'hôpital, promirent de lui rendre visite le lendemain, de même que les jumelles et Sakina.

Celle-ci, que l'éloignement de ses parents attristait, était somme toute contente de disposer d'un peu plus de liberté. Son oncle Thierno Omar était gentil et affable, et serait à coup sûr moins regardant quant à ses sorties, de même que sa tante Bodiel…

L'atmosphère aux Parcelles Désassainies n'était pas au prolongement de la soirée. Fourbus par cette arrivée inopinée sur Dakar, les habitants de la maison s'en furent dans leurs appartements après dîner.

Le lendemain après-midi, toute la famille se rendit à l'hôpital pour rendre visite à leur père, beau-frère, frère et oncle, Amadou. Quoique très faible encore, il se fit un plaisir de recevoir tout ce monde. La présence des siens autour de lui le revigorait un tant soit peu.

Sakina, pendant ce temps-là, ne tenait pas en place. Prétextant le désir de se rendre aux toilettes, elle entraîna à sa suite Bousso et Salamata. Sitôt dehors, elle leur lança :

– Mais comment faire pour échapper à la vigilance des parents ? J'avais promis à Ousmane de lui notifier mon retour à Dakar. Il ne m'attendait pas aussi tôt, mais c'est déjà ça de gagné !

Bousso, interloquée, ne put se retenir :

– Mais Sakina ! Comment peux-tu penser à aller retrouver Ousmane alors que ton père est malade ?

Salamata renchérit :

– Attends au moins que ton père aille un petit peu mieux avant de penser à aller retrouver Ousmane *bandaam*…

Mais Sakina était résolument décidée et fit la sourde oreille aux récriminations de ses cousines. Elle avait un plan déjà bien ficelé : comme les visites se terminaient à 20 h 30 mn, et qu'il était quasi certain que *Néné*

Bodiel et Baba Omar resteraient jusqu'à la fin de celles-ci, elle pourrait dire qu'elle était fatiguée et avait souhaité rentrer.

Ses parents, quoique déçus de la voir s'en aller, la laissèrent partir après qu'elle eût promis de revenir le lendemain. Son père, bien que faisant l'effort de n'en rien laisser paraître, était triste de voir Sakina s'en aller après une aussi courte visite.

« Ah les jeunes d'aujourd'hui, ils ne respectent plus rien ! » se dit-il. Mais comme toujours, il cherchait des excuses à sa fille bien-aimée.

Quant à sa mère, bien que mécontente, ne le manifesta pas ; mais elle comptait bien lui faire part de son appréciation dès le lendemain. Comme elle rentrait avec ses deux cousines, Mariam fut quelque peu rassurée, cependant.

Les filles s'engagèrent vers l'aile ouest de l'hôpital qui donnait directement vers la grande rue. De là, elles auraient juste une dizaine de minutes de marche avant d'arriver à la banque Afreeka, lieu de travail d'Ousmane. L'hôpital se situant aussi dans le quartier des affaires dakaroises du Plateau, les filles avaient donc une infime distance à parcourir.

À mesure qu'elle s'approchait de l'édifice bancaire, à l'intérieur duquel se trouvait l'élu de son cœur, Sakina sentait les battements de son cœur s'intensifier, au point qu'elle pouvait presque les entendre. Plus rien d'autre n'avait d'importance…

C'est à peine si elle faisait attention à ses cousines qui marchaient à ses côtés et à l'atmosphère ambiante, de cette partie de Dakar animée et hétéroclite. Les sons ainsi que les sensations ne parvenaient que par à-coups dans son esprit embrumé.

Quand elles atteignirent le dernier rond-point, avant le grand bâtiment de la banque Afreeka, Sakina crut qu'elle allait se trouver mal, car tout son être vibrait d'excitation et de joie entremêlées.

Dès qu'elle aperçut Ousmane dans sa tenue de travail, son cœur fit un bond dans sa poitrine. Il ne la vit pas tout de suite cependant.

Occupé à consigner les visites de la journée dans son épais registre, il ne leva la tête qu'au bout de dix bonnes minutes qui parurent interminables à Sakina. Plantée dans l'allée centrale, elle était partagée entre deux sentiments : celui de lui sauter au cou et de le couvrir de baisers, et celui de rester sagement à attendre qu'il la vît.

Se sentant observé, Ousmane leva vivement la tête et vit la cause de nombre de ses insomnies, devant lui. Se tournant et se retournant dans son lit chaque nuit durant, il invoquait tous les saints possibles et imaginables pour que Sakina lui revienne.

S'il se référait à la dernière soirée qu'il avait passée en sa compagnie, il était quasi sûr que Sakina lui dirait qu'elle est de retour à Dakar, car tout portait à croire que la jeune fille était amoureuse de lui. Les regards énamourés qu'elle lui lançait et l'attitude d'entière disponibilité dont elle faisait preuve à son égard étaient plus qu'éloquents…

Si ce n'était pas de l'amour ça, alors il n'y connaissait plus rien aux femmes !

Et la voilà qui se tenait devant lui, aussi belle et fraîche que dans son souvenir. Il ignorait les raisons qui l'avaient poussée à écourter son séjour dans le village de ses parents, mais quelles qu'elles puissent être, une chose était sûre : le Ciel était avec lui !

« Je ne vais quand même pas rester là à la regarder comme un idiot », se dit-il tout en se levant. En quelques pas, il fut auprès des filles. D'emblée, il colla un chaste baiser sur les lèvres de Sakina, qui n'attendait que ça. Gênée, elle émit un petit rire, tout en coulant un regard oblique vers ses cousines qui, partagées entre la désapprobation et la curiosité, n'en rataient pas une miette…

Après les salamalecs d'usage, Ousmane les laissa quelques minutes le temps de procéder au roulement avec Abdoulaye, qui était arrivé entre-temps pour prendre son service.

Revenu auprès de ses visiteuses, il leur proposa d'aller prendre le thé chez lui.

Après concertation avec Abdoulaye, ils avaient décidé qu'Ousmane pouvait recevoir les filles dans la chambre d'Abdoulaye, un tantinet plus spacieuse et ordonnée, bien sûr. Ousmane n'était pas un spécialiste de l'ordre, sa chambre était continuellement sens dessus dessous… Il ne tenait pas à ce que Sakina voit son intérieur aussi mal entretenu.

Avec les 50 000 F CFA qui constituaient sa solde mensuelle, il avait beaucoup de mal à joindre les deux bouts. Il en envoyait la moitié à ses parents, et l'autre moitié était redistribuée entre ses sorties, son habillement, son loyer et les autres petits plaisirs, quoique futiles, qu'il ne se refusait guère…

Il avait pleinement conscience de vivre au-dessus de ses moyens, mais la vie à Dakar avait ses exigences : par exemple avoir une bonne mise et être vus dans les endroits en vogue. Ce qui faisait qu'au milieu du mois, Ousmane avait, à peine, de quoi se sustenter, mais son fidèle Abdoulaye, ami comme il n'en existait plus, le dépannait toujours.

Tout en devisant gaiement, ils s'acheminaient vers l'immeuble décrépi, mais en direction des logements assez décents où Ousmane et Abdoulaye habitaient. Les filles avaient d'emblée accepté son invitation, car disposant de trois bonnes heures avant de regagner le domicile familial.

Arrivés sur les lieux, Ousmane les laissa quelques instants, le temps pour lui de se rendre à la petite échoppe du coin, pour acheter des rafraîchissements. En sus de la boîte de thé et des feuilles de menthe, il prit des gâteaux secs et deux bouteilles de Njaar, la boisson locale qui était fort prisée en ces temps de canicule.

Les filles profitèrent de cette absence pour inspecter les lieux. Comme l'avait escompté Ousmane, la chambrette d'Abdoulaye était impeccablement tenue. Pas un grain de poussière ne voletait. Contrairement à son acolyte, Abdoulaye ne dépensait pas beaucoup en habillement.

Il gérait son budget avec parcimonie. Par contre, les seuls « excès », comme il les appelait, qu'il s'autorisait résidaient dans le domaine des équipements domestiques. En plus d'une télévision à écran couleur dont il n'était pas peu fier, Abdoulaye possédait un réfrigérateur, ce qui lui évitait, à l'instar d'Ousmane, d'acheter des aliments en petite quantité ; mais aussi un magnétophone qui prenait des cassettes, appareil très en vogue à l'époque.

Ousmane y mit une cassette de mbalax* et, tout en servant le thé, déploya ses charmes de dandy. Bousso et Salamata, jusque-là assez réservées à l'égard d'Ousmane, n'eurent plus aucun doute à son sujet. Le bonheur (évident) qui transparaissait dans les prunelles de Sakina suffisait à les convaincre que ces deux-là étaient faits l'un pour l'autre.

C'est à contrecœur qu'elles quittèrent la demeure fort accueillante de Ousmane quelques heures plus tard, tout en promettant de revenir dans quelques jours

Les filles regagnèrent la maison, préparèrent le repas du soir, tout en attendant le retour des parents et de Mariam qui devait venir chercher le repas d'Amadou.

Le reste de la semaine se passa entre visites à l'hôpital, pour voir le vieil Amadou, et retrouvailles avec Ousmane, que les filles rejoignaient chez lui une fois sorties de l'hôpital.

L'idylle entre Ousmane et Sakina était arrivée à maturité. Les deux jeunes gens, ayant passé beaucoup de journées et de soirées ensemble, avaient appris à se connaître. Sakina ne pouvait imaginer sa vie sans Ousmane à ses côtés. Elle était prête à tous les sacrifices, pour ce bel éphèbe qu'elle regrettait de ne pas avoir connu plus tôt. Et maintenant qu'elle l'avait à ses côtés, elle ne le lâcherait pas !

Mais, en dépit de cet amour passionnel, deux, voire trois obstacles se dressaient : son éloignement, lié à sa vie en France, ses études auxquelles elle n'avait plus goût, et le dernier, non des moindres : ses parents. Ceux-ci plaçaient d'énormes espérances en leur unique fille, et surtout en ses études, raisons pour lesquelles ils l'avaient placée dans l'un des établissements d'enseignement supérieur les plus huppés et les plus coûteux de la capitale française. Mais Sakina, au nom de cet amour qui la consumait, entendait convoquer des arguments qui les convaincraient à coup sûr. La tâche s'avérait ardue, et surtout compliquée, car si ses parents avaient écho de la situation fort modeste d'Ousmane, ils ne consentiraient jamais à lui donner leur fille en mariage…

À cet effet, sa mère lui répétait continuellement qu'en sa qualité de descendante de la haute noblesse Hal pulaar*, elle se devait de toujours choisir avec finesse ses fréquentations. Mais Sakina n'avait aucune considération pour ces arguments qu'elle jugeait d'une autre époque. Au nom de son amour pour Ousmane, elle braverait parents et amis et cela même au péril de sa vie.

Ousmane, pour sa part, ressentait une affection plus mesurée que celle de Sakina.

Il appréciait à sa juste valeur sa beauté, sa jeunesse, sa candeur et, surtout, le fait qu'il la savait malléable à souhait, pour avoir maintes fois éprouvé sa capacité à lui céder.

Elle lui avait fait, en outre, quantité de cadeaux, tous plus somptueux les uns que les autres, et en toute occasion, elle s'évertuait à lui faire plaisir…

Son ego masculin s'en trouvait grandement flatté. Par contre, une ombre subsistait dans ce tableau fort enchanteur : les parents de sa dulcinée qui, pour ce qu'il savait d'eux, n'approuveraient sans doute jamais leur union. Mais Ousmane saurait trouver grâce à leurs yeux et saurait se dépeindre sous les traits du gendre (idéal).

Sakina lui servirait de tremplin dans l'ascension sociale qui devait être la sienne… Il n'avait que trop trimé durant sa jeune vie et il estimait qu'il était plus que temps pour lui d'aller assouvir ses goûts de luxe, dans la ville de ses rêves, Paris.

Comme il le disait souvent à Abdoulaye, « des forces contrôlaient le jeu à notre insu, on les appelait le destin. Et pour peu que ces forces soient du bon côté, il fallait savoir saisir sa chance ». Son ami, entre deux éclats de rire, le traitait de fou, voire même de rêveur impénitent. Mais Ousmane n'en démordait pas et croyait dur comme fer à sa bonne étoile. Celle-ci le ferait briller au firmament de la pyramide sociale et de la plénitude !

Ce n'était plus qu'une question de mois !

Pendant ce temps-là, l'état de santé d'Amadou s'était grandement amélioré, de sorte que les médecins pensaient à le faire sortir de l'hôpital. C'est ainsi que dix jours après son internement si soudain, il regagna son domicile des Parcelles Désassainies.

Les vacances tiraient à leur fin, et le retour en France se profilait. Sakina, la mort dans l'âme, dut se rendre à l'évidence qu'il ne lui restait plus qu'une petite semaine, à passer en terre sénégalaise.

Amadou et Mariam mirent à profit cette semaine pour refaire le stock de leur boutique à Paris. Aidé de

Sakina, le couple se rendit au marché Sanagra pour se ravitailler en denrées de première nécessité, condiments locaux, bijoux et autres pacotilles que l'on monnayait au prix fort à Paris et dont leur clientèle raffolait.

Les bagages devaient quitter Dakar et rallier le port de Marseille et, de là, être acheminés à Paris par la route. Mariam, pour qui ces opérations de logistique étaient devenues une routine, s'en occupa prestement. Connaissant les rouages du Port de Dakar, elle appela ses contacts là-bas et ceux-ci l'aidèrent à charger ses bagages dans un conteneur qui serait à son tour chargé sur un paquebot en partance pour Marseille dans la semaine.

Tout en accomplissant ces tractations administratives, Mariam fulminait. Car, bien que la connaissant de longue date, les agents portuaires ne lui facilitaient aucunement la tâche. « Ils sont tous corrompus jusqu'à la moelle ! » s'écriait-elle, excédée par tant de magouilles et par le fait qu'ils osent lui demander une contrepartie financière pour traiter avec diligence ses affaires…

Le vieux Amadou tenta de l'amadouer, en vain : « Mais pourquoi te mets-tu dans de tels états ? Tu devrais être habituée, depuis tout ce temps ! » Et elle renchérissait, ulcérée : « Justement, c'est la normalisation de ces pratiques mafieuses qui me mettent hors de moi ! » Le couple Bâ se chamailla longuement et de guerre lasse obtempéra, car n'ayant aucunement pas d'autres solutions.

L'acheminement des bagages réglé, le couple Bâ s'attela à effectuer les réservations dans le vol, à destination de Paris, la semaine qui allait suivre. Comme d'habitude, ils allaient voyager à bord d'un avion de la compagnie aérienne Afrique Air. Ils affectionnaient tout particulièrement cette compagnie, non seulement en raison du prix fort peu onéreux des billets, mais aussi à cause du fait que c'était une compagnie locale.

Car cela allait sans dire qu'Amadou et Mariam, en toute chose, s'efforçaient de privilégier leurs origines africaines et sénégalaises.

Les billets achetés, les bagages empaquetés, il ne leur restait plus qu'à profiter des quelques jours à passer dans leur terroir. S'il y avait une personne que ces préparatifs n'enchantaient guère, c'était bien Sakina.

Ses parents, tout à leurs préparatifs, n'avaient guère remarqué que leur fille maigrissait à vue d'œil, dépérissait et n'avait plus goût à rien. Bousso et Salamata avaient beau essayer de la réconforter, c'était peine perdue.

Il ne lui restait plus que cinq jours à passer au Sénégal, et elle comptait bien en profiter pour voir Ousmane.

Les réservations pour les billets faites et toutes les menues affaires courantes évacuées, Amadou et Mariam pouvaient se reposer, en attendant le retour en France.

Sakina avait déjà un programme fort bien ficelé. Le jour qui suivait, elle devait aller se tresser avec ses deux compagnes, et il était prévu qu'elles s'y rendraient aux aurores, de façon à terminer au plus tôt, et se ménager quelques instants en compagnie d'Ousmane.

Elle passa l'après-midi avec lui dans la petite chambrette exigüe. Sakina n'avait jamais assez du regard enfiévré qu'Ousmane posait sur elle et, chaque fois, elle devait s'échapper *in extremis* de ses bras pour regagner la maison familiale. Tous ses sens en émoi n'étaient jamais repus et chaque après-midi, elle s'envolait vers le quartier du Plateau, ses cousines sur les talons, pour passer une heure, quelquefois deux, avec cet homme qu'elle chérissait si ardemment.

Pendant que Bousso et Salamata patientaient dans l'antichambre de la demeure, les deux amoureux s'enfermaient dans la chambre pour se conter fleurette.

Le dernier samedi qu'ils allaient passer ensemble, Sakina comptait mettre les petits plats dans les grands.

Après concertation avec ses deux acolytes sur la nature du présent qu'elle comptait faire à l'élu de son cœur, son choix se porta sur une chaîne en argent, avec un pendentif formé de deux cœurs entrelacés, symbole de leur amour.

Ses cousines l'accompagnèrent au quartier des bijoutiers, situé un peu en retrait du centre. Communément appelé *Négou Wourouss**, l'endroit était hétéroclite et grouillant à souhait.

Constitué dans son entièreté de petites échoppes bringuebalantes serrées les unes contre les autres, *Négou Wourouss** était bruissant de monde. La clientèle, pour l'essentiel féminine, faisait vibrer l'endroit au son des marchandages et autres transactions.

Bousso et Salamata, habituées des lieux, se frayèrent un chemin jusqu'à une boutique située tout au fond de la rue. Le magasin de « Vieux Aïdara » était fort réputé et connu de toutes les dames amatrices de bijoux en or et en argent de Dakar.

Le vieil Aïdara, bijoutier et orfèvre de son état, commercialisait des parures fabriquées localement, mais aussi importées du Gabon, des Émirats Arabes, et aussi du Pakistan. Néné Bodiel, la maman des jumelles Bâ, faisait partie de ses plus fidèles clientes, raison pour laquelle les trois demoiselles furent fort bien accueillies. Et, en raison du prix qui lui fut facturé, Sakina ajouta une gourmette en argent, en sus de la chaîne initialement prévue.

Satisfaite de ces menus présents, elle envisagea avec un peu moins de tristesse le dernier week-end qu'elle passerait en compagnie d'Ousmane.

Le vendredi, un dîner fut donné à la résidence des Bâ, comme chaque année pour remercier la famille de Dakar et tous les amis qui avaient concouru à rendre leur séjour à Dakar fort agréable. Bien que les convives restèrent jusqu'à une heure assez avancée de la nuit, Sakina tint absolument à sortir à la fin du dîner.

Les derniers invités raccompagnés, Sakina monta prestement dans sa chambre se changer, suivie de Bousso et Salamata qui, elles aussi, avaient des plans pour la soirée.

Sakina, ayant vu Ousmane un peu plus tôt dans la journée à la faveur d'une course qu'elle devait effectuer pour sa mère en ville, en avait profité pour fixer rendez-vous à son amoureux, à deux heures du matin tapantes.

À l'heure dite, les trois jeunes filles se ruèrent dehors, dans la nuit noire. Bousso et Salamata devaient aller passer la soirée, ou du moins ce qu'il en restait, au New Yorker. Leurs soupirants, à bord d'une rutilante Alfa Romeo blanche, les attendaient au bord de la route. Elles laissèrent Sakina avec Ousmane et s'engouffrèrent dans la voiture. Le trio devait se retrouver trois heures plus tard, avant le « couvre-feu » habituel.

Ousmane et Sakina s'installèrent sur un banc du jardin public situé à quelques encablures de la maison.

D'emblée, Ousmane attira Sakina contre lui et entreprit de la couvrir de baisers. Le souffle court, Sakina s'abandonna complètement... Ousmane, s'enhardissant, promena ses mains sur le corps tout entier de la jeune fille, arrachant à celle-ci gémissements et soupirs étouffés. De son coup d'œil avisé, Ousmane voyait bien que Sakina, innocente qu'elle était, découvrait ces sensations pour la toute première fois et s'abandonnait entièrement entre ses bras.

Profitant de ce moment, Sakina sortit la petite bourse en velours ocre nichée dans le creux de la poche de son jean. Elle la tendit cérémonieusement à Ousmane : « un petit cadeau pour toi »...

« Pour moi ? » demanda celui-ci, tout sourire... Le jeune homme s'en empara, et la mine réjouie, tenta de deviner ce que le paquet contenait. Il le soupesa, et voyant que celui-ci pesait assez lourd, il se dit que les objets qu'il contenait devaient être assez coûteux.

Il défit les cordons de la bourse d'une main tremblante, en extirpa la chaînette surmontée du pendentif en cœur. Masquant subtilement sa déception, il lança avec emphase : « Merci ma chérie, c'est superbe ! » Sa déception était double, car il espérait recevoir des bijoux en or et, de surcroît, la chaîne ne lui plaisait aucunement. Trop fine à son goût et, de plus surmontée de cœurs, détail fort horripilant, il la trouvait puérile.

Il atteignit le summum de l'irritation lorsqu'il sortit le bracelet. Le tournant et le retournant entre ses doigts, à la recherche d'une quelconque inscription ou gravure, et n'y tenant plus, jeta à Sakina avec humeur : « Tu aurais au moins pu y inscrire mes initiales ! Un bracelet en argent sans rien écrit dessus ne présente aucune espèce d'intérêt… » À voir l'expression du visage d'Ousmane, Sakina commençait à sentir une légère panique l'envahir… Elle se dit intérieurement : « *Yo Allah* ! Ça ne lui plaît pas… Je n'aurais jamais dû écouter ces ignares de Bousso et Salamata, qui ne connaissent rien aux cadeaux masculins ! »

Pour obtenir confirmation du malaise croissant qui l'envahissait peu à peu, elle risqua une question : « Les cadeaux que je t'ai faits ne te conviennent donc pas ? » Ousmane prit un air emprunté avant de répondre : « Oh que si ! J'aurai juste voulu que mes initiales figurent sur le bracelet, mais ne t'inquiète pas… »

Sakina s'en voulait terriblement…

Quoiqu'ait pu dire Ousmane, elle était intimement convaincue qu'elle aurait dû, et surtout pu mieux faire. Quant au principal concerné, de son côté, il n'avait pas raté sa manœuvre. Il avait vu à quel point sa dulcinée avait été embarrassée, et il comptait profiter au maximum de la soumission dont Sakina faisait preuve à son égard.

Sakina, elle, comptait bien mettre à profit son retour en France pour se rattraper. Le maigre pécule que lui allouaient ses parents tous les mois ferait assurément l'affaire… À ce propos, il fallait qu'elle demande une augmentation de celui-ci, histoire de se réserver une marge. Elle en prélèverait un pourcentage et en profiterait pour acheter des cadeaux à son Ousmane chéri.

L'acheminement jusqu'à Dakar serait le paramètre qui allait poser problème. Il lui faudrait être d'accointance avec Samba Diouldé, le commis préposé au fret de la boutique d'Amadou et Mariam… Du fait de ses actions, Diouldé connaissait assurément un ou plusieurs moyens d'envoyer des petits paquets à Dakar, à moindres frais.

Perdue dans ces considérations d'ordre matériel, Sakina sursauta lorsqu'Ousmane glissa son bras autour de sa taille. « Ne t'en fais pas ma douce, je ne t'en veux pas… Les présents que tu m'as faits viennent du cœur, voilà le plus important… »

Quelque peu rassurée, la jeune fille pressa sa tête sur l'épaule de son amoureux… Les deux tourtereaux restèrent ainsi, jusqu'à ce que des coups de klaxon stridents vinrent perturber leur douce quiétude. Bousso et Salamata arrivaient et c'était l'heure de se quitter.

Le lendemain samedi serait leur dernière soirée. Et qui dit dernière soirée, pense soirée spéciale… Toute la journée, Sakina ne tint pas en place. Elle trépignait d'impatience d'arriver au soir et de se lover amoureusement dans les bras d'Ousmane. Sa mère la sermonna à plusieurs reprises, en raison de son inattention et de son incapacité à exécuter correctement les tâches qu'elle lui confiait. La vieille Mariam mettait cela sur le compte de la tristesse de sa fille à quitter le Sénégal, comme chaque année. Elle était loin de se douter qu'un drame se jouait sous ses yeux !

C'est donc une Sakina plus belle que jamais qui descendit du taxi arrêté devant le New-Yorker : jupe très courte surmontée d'un « body », bande de tissu qui recouvrait juste le buste et qui faisait fureur chez les jeunes filles, le tout accompagné d'une paire de sandales à brides et talons vertigineux.

La jeune fille était très en beauté, et attirait tous les regards masculins, tant elle irradiait. Ousmane s'empressa de lui mettre un bras possessif autour de la taille, histoire de montrer que cette superbe liane était sa conquête. Lui aussi s'était mis sur son « 31 » : chemise en cotonnade blanche et son pantalon de la même étoffe bleu marine. Ses souliers marron, lustrés à outrance, luisaient dans la nuit.

Ils passèrent à l'intérieur de la boîte, où ils s'installèrent à leur table habituelle, celle que leur conférait leur statut d'habitués, surtout pour ce qui était d'Ousmane et Abdoulaye… Ils passaient une excellente soirée, mais le spectre des adieux planait au-dessus d'eux.

Pris d'une envie de fumer, Ousmane en profita pour entraîner Sakina au-dehors.

N'y tenant plus, la jeune fille éclata en sanglots et, entre deux hoquets, se perdit en lamentations et sur le fait qu'elle ne survivrait pas à tous ces longs mois, loin d'Ousmane… Celui-ci, excédé par les pleurs de Sakina, lui intima l'ordre de se taire et de cesser de se comporter en gamine. Choquée par la rudesse de son ton, la jeune fille se dit qu'il avait raison et qu'elle ferait mieux de profiter de ces derniers moments à ses côtés.

Sur ces entrefaites, Ousmane s'était détourné, il fumait tranquillement sa cigarette. Elle se rapprocha doucement de lui et se mit à lui caresser le dos. Du coin de l'œil, Ousmane ne ratait rien de l'attitude servile de Sakina et jubilait intérieurement : « Je peux faire ce que je veux de cette fille, elle m'est entièrement dévouée ! »

Après ce moment en tête à tête, ils retournèrent auprès des autres pour terminer tranquillement leur soirée.

Les adieux furent déchirants...

Sakina, ne pouvant se retenir, sanglotait à se fendre l'âme, et ne voulait pas quitter les bras d'Ousmane... Celui-ci, bien que légèrement énervé, car non seulement les pleurs avaient le don de l'agacer, mais sa belle chemise blanche se retrouvait tachée, consolait Sakina du mieux qu'il pouvait. Bousso, Salamata, et Abdoulaye observaient la scène avec une émotion palpable.

Ce qui faisait le plus mal à Sakina, c'est qu'elle ne reverrait pas Ousmane jusqu'à son départ. Le lendemain, dimanche, elle était certaine qu'elle ne pourrait pas quitter la maison et le lundi, jour du départ, il ne fallait pas y penser.

Elle n'en ressentait que plus d'amertume...

Sa seule consolation résidait dans la correspondance qu'elle entretiendrait avec Ousmane. Cette correspondance l'aiderait à se sentir moins seule et à patienter jusqu'à l'été prochain. L'échange d'adresses fut ainsi fait. Sakina n'avait rien à craindre quant à ces lettres. Car étant la seule de la maisonnée à ouvrir le courrier chez elle, elle lisait même les lettres que recevaient ses parents et leur en livrait le contenu.

Il n'y avait donc aucun risque de ce côté-là.

Ce qu'Ousmane et Sakina ne savaient pas, c'est que leur rencontre de cet été-là signait l'entame d'une histoire tragique, dont l'issue serait fort triste.

Les attentes n'étaient pas les mêmes : Ousmane entendait utiliser Sakina comme tremplin pour atteindre ses objectifs. Quant à Sakina, elle se voyait aux côtés de l'élu de son cœur sa vie entière.

Son rêve deviendrait réalité.

Mais, la lune de miel se transformerait en lune de fiel, où tout ne serait que désillusions et amers regrets

Chapitre 7

Comme un goût d'inachevé...

Amadou, Mariam et leur fille Sakina quittèrent Dakar en ce lundi 15 septembre 1980.

Le voyage se passa sans encombre et la famille Bâ, au grand complet, débarqua à l'aéroport André Peytavin par un matin brumeux. Il ne faisait pas froid, mais un léger vent soufflait, faisant regretter aux nouveaux arrivants le climat ensoleillé à souhait de Dakar.

Sakina, mortifiée, observait les alentours d'un air absent et sentait une douleur insidieuse s'insinuer petit à petit en elle. Les adieux avec la famille de Dakar avaient été, comme toujours, déchirants. Bousso et Salamata lui manquaient terriblement. Mais cette année une nouvelle donne existait, en la personne d'Ousmane...

Samba Dioulé les attendait tout sourire devant la vieille Ford de son père. Rien qu'à la vue de la guimbarde toute cabossée qu'elle haïssait tant, Sakina sentit sa fureur décupler. D'un signe de tête, elle salua, puis s'engouffra dans la voiture et ferma les yeux. Faisant mine de dormir, elle ne fut pas importunée tout le long du trajet jusqu'à la maison.

Ses parents, en commerçants zélés, sitôt leurs valises déposées dans l'appartement, se mirent en route pour la boutique.

Quand Sakina s'offusqua de les voir reprendre le travail si tôt, Mariam, sa mère, lui répondit d'un ton sans appel : « Le travail n'attend pas *bingel âm* ! * »

Sur ces entrefaites, Sakina courut s'enfermer dans sa chambre.

Avachie sur son lit, elle entreprit de se remémorer les moments magiques, féériques et surtout inoubliables, vécus avec Ousmane à Dakar... Ces vacances avaient été de loin les meilleures car, pour la première fois de sa vie, elle savait ce qu'était l'amour !

L'amour... Ce sentiment si mirifique dont les personnages des romans à l'eau de rose qu'elle dévorait étaient sujets... L'amour qui la faisait tant rêver et qu'elle désespérait de rencontrer un jour...

Elle collectionnait lesdits romans avec ferveur, de même que des revues emplies d'histoires d'amour, le tout à l'insu de sa mère, bien entendu. Car si celle-ci avait connaissance des lectures de sa fille, elle ne manquerait pas de la sermonner vertement.

Sakina connaissait les phrases favorites de sa mère sur le sujet : « Une jeune fille de bonne famille ne doit pas avoir certaines idées en tête... Une jeune fille de bonne famille ne doit pas courir après les garçons... Concentre-toi sur tes études... Tu as toute la vie devant toi et le moment venu, tu auras un bon mari par la grâce d'Allah ! »

Une jeune fille de bonne famille...

« Ma mère n'a décidément que cette expression à la bouche », se dit-elle...

Sakina en avait assez de ces considérations d'une autre époque. Elle voulait vivre, aimer et être aimée. Sa romance avec Ousmane sentait lourdement les effluves de l'inachevé. Et elle comptait bien y remédier ! Raison pour laquelle elle pensait à lui écrire de suite.

S'installant à son bureau, elle se mit en quête d'un bloc de papier et d'un stylo à bille. Ce faisant, elle aperçut une grosse enveloppe kraft ensevelie sous des monceaux de lettres qui constituaient le courrier qu'elle avait reçu durant ses vacances... Dans son euphorie, elle avait complètement oublié qu'elle devait se réinscrire.

Toute cette paperasse à remplir la rebutait grandement, mais elle n'avait pas trop le choix, car il restait peu de jours avant la reprise des cours... Elle sortit la liasse de feuillets et les remplit consciencieusement. Ne manquait plus que la somme nécessaire au paiement, qu'elle demanderait à ses parents dès qu'ils seraient rentrés du magasin.

Rapidement, la famille Bâ reprit ses vieilles habitudes hexagonales. Comme tous les matins, Amadou et Mariam prenaient le chemin de leur boutique et Sakina, celui de l'école.

Sa première lettre partit pour le Sénégal un mois après son retour en France. Bien qu'elle eût souhaité l'avoir envoyée plus tôt, cela n'avait pas été possible ; car la jeune fille croulait sous les obligations scolaires, et sitôt les cours terminés, elle devait aller prêter main-forte à ses parents au magasin.

Mais le mercredi étant le jour de la semaine où elle était le moins sollicitée à l'école, elle passait la journée à la boutique. Ses parents étant sortis faire une course, elle se trouvait seule avec Samba Diouldé.

Il ne lui fallut pas moins d'une heure pour rédiger sa missive. Après quatre essais infructueux, le cinquième fut le bon… Elle avait choisi ses mots avec parcimonie, ni trop mièvres, ni trop puérils, mais juste ce qu'il fallait de nostalgie et d'amour, de sorte que quand Ousmane la lirait, il sentirait à quel point il hantait ses pensées.

Celui-ci reçut son courrier une fois sa journée de travail terminée.

Pensant que c'était sa mère qui lui écrivait, il se saisit vivement de l'enveloppe, afin d'en expédier au plus vite la lecture. Mais au vu du timbre qui ornait l'extrémité de l'enveloppe, il sut que cette lettre ne provenait pas du village. Or la seule personne de sa connaissance qui résidait à l'étranger, c'était Sakina. Partant d'un grand éclat de rire, il s'affala de tout son long sur sa couchette…

Non pas qu'il eût douté recevoir une lettre de Sakina, mais elle avait tant tardé qu'il avait été envahi par un insidieux doute… Sitôt Sakina retournée en France, il avait repris ses activités nocturnes. Au grand dam d'Abdoulaye qui ne cessait de lui répéter de penser à Sakina, qui aurait le cœur brisé en apprenant que l'élu de son cœur batifolait si impunément…

Ce à quoi Ousmane répondait éhontément : « Je peux faire ce que je veux. Son cœur m'est déjà acquis ! » Et c'était une vérité immuable…

Mais cette romance commençait déjà à faire des dégâts. Surtout du côté de Sakina… Après des débuts rassurants, la scolarité de la jeune fille commençait à pâtir du fait qu'Ousmane lui manquait…

Chapitre 8

Inquiétudes maternelles...

Autrefois étudiante modèle et appliquée, toujours prompte à participer en classe, et une fois de retour chez elle, elle révisait ses cours pour le lendemain.

Mais depuis son retour de Dakar, la jeune fille n'était plus que l'ombre d'elle-même. Même ses professeurs lui en faisaient la remarque, car ses notes commençaient à chuter dangereusement, et ses chances de passer en classe supérieure étaient plus que compromises. Mais, à dire vrai, Sakina n'en avait cure...

Ses études ne l'intéressaient plus, car pensant qu'elle y perdait du temps. Toutes ses pensées convergeaient vers Dakar, et bien évidemment vers Ousmane...

Son rêve consistait à se marier avec lui, pour vivre une vie heureuse avec une nombreuse progéniture... Consciente des difficultés qui ne manqueraient pas de surgir, elle croyait, dans son extrême naïveté, que leur amour leur permettrait de tout surmonter... Et même si les difficultés pouvaient faire ombrage à leur félicité, ses parents les aideraient à coup sûr...

Pendant ce temps-là, elle continuait à entretenir une correspondance régulière avec l'élu de son cœur... Elle lui écrivait plusieurs lettres par mois, et Ousmane, pour sa part, ne lui en envoyait qu'une, ou quelques rares fois, deux… Mais Sakina lui trouvait toujours des excuses : « Il doit être très pris par son travail, raison pour laquelle il est si peu loquace… » La jeune fille se mourait d'amour pour Ousmane et faisait des folies pour lui faire plaisir…

Avec l'aide de Samba Diouldé, elle avait fait parvenir à son soupirant quantité de présents…

Pour ce faire, elle s'était privée de tout : les friandises dont elle raffolait tant, les magazines et romans qu'elle achetait en grande quantité, et qu'elle emmagasinait en vue des vacances à Dakar… Mais tous ces sacrifices en valaient la peine à ses yeux… Elle lui avait déjà envoyé un complet veston en taffetas, des souliers vernis, de même qu'une cravate en soie de Chine… Une fois son argent de poche reçu, Sakina parcourait les magasins du quartier si huppé de la Rosée Bleue, temple de l'élégance masculine à Paris… À deux reprises, Sakina avait manqué les cours pour faire son shopping…

Cela n'avait pas échappé à la vigilance du Directeur des Études de l'Université Sékou Touré. L'établissement était non seulement réputé pour la qualité de son enseignement, mais aussi pour la rigueur de son corps professoral. De sorte qu'aucun manquement d'aucune sorte n'était toléré de la part des étudiants : retards, absences non justifiées, perturbations, indiscipline… Tout était passé au crible…

Et c'est donc avec étonnement que le vieux Amadou Bâ reçut un appel de Serge Dupuis, Directeur des Études de l'Université. Dans son français approximatif, hérité de l'époque coloniale, il s'entretint avec

M. Dupuis. Avec un hésitant « *au rewoir Missié Dipiwi* »*, il raccrocha et appela Mariam.

Informée que Sakina n'avait pas été en cours durant deux jours, celle-ci n'en crut pas ses oreilles

– *Woy yégam yoo* !* Sakina Bâ *ko kangaado** !* Tous les matins, je la réveille personnellement pour qu'elle se prépare à aller en cours, alors je ne comprends pas !

– Ma chère femme, c'est bien le cas ! Notre fille prend une mauvaise pente... Il faudrait que tu lui parles, et d'urgence...

Les paroles de son mari parvinrent à Mariam comme à travers une brume. Elle oscillait entre colère, déception et surtout angoisse. Sa fille unique Sakina était toute sa vie, elle l'aimait plus que tout au monde. C'est la raison pour laquelle elle était si sévère avec elle, car elle voulait l'éloigner des déviances et autres tentations auxquelles une jeune fille de son âge pouvait être exposée. Elle comptait donc changer de tactique et être plus subtile. Il lui fallait se rapprocher de sa fille pour savoir ce qui n'allait pas, et éventuellement résoudre le problème, s'il y en avait un.

Aussitôt après le dîner, Sakina, comme tous les soirs depuis son retour de Dakar, se retira dans sa chambre, prétextant des devoirs à faire. Elle évitait désormais la compagnie de ses parents, elle d'ordinaire si bavarde et si prompte à leur raconter sa journée...

Sa mère la trouva en train de pleurer, une lettre entre les doigts... Ce bout de papier était la dernière missive que Ousmane lui avait écrite...

Quand elle se rendit compte de la présence de sa mère dans la chambre, Sakina essuya furtivement ses larmes et glissa l'objet de sa tristesse sous son oreiller. Mais trop tard… Sa mère voyait à l'expression de son visage que quelque chose n'allait pas.

S'asseyant sur le lit, la vieille Mariam prit doucement les mains de Sakina entre les siennes, et les pressant tendrement, lui dit : « *Bii yâm** chérie ! *Ko woni* ? * As-tu un problème ? T'es-tu disputée avec quelqu'un ? Tu sais que tu peux tout me dire… » Sakina ne connaissait que trop bien sa mère. Elle était tellement collet monté que si jamais elle lui avouait sa romance avec Ousmane, elle la persuaderait d'y mettre fin au plus vite.

Se jetant dans ses bras, Sakina hoqueta : « C'est que Bousso et Salamata me manquent tellement ! » Mariam, mi-soulagée, mi-suspicieuse, réconforta sa fille du mieux qu'elle put. Sa crise de larmes passée, elle la réprimanda assez mollement quant aux cours qu'elle avait manqués et Sakina promit qu'on ne l'y reprendrait plus.

Mais la vieille dame n'était pas dupe.

Elle n'avait cru qu'à moitié au prétexte fallacieux qu'avait invoqué Sakina pour expliquer la cause de sa tristesse. Elle s'empressa de rassurer son mari, lui expliquant que leur fille avait juste le mal du pays et que ses chères cousines et amies lui manquaient, et qu'il n'y avait par conséquent rien de bien grave… Elle voulait ménager Amadou, car vu son état de santé fragile, il ne devait pas être inquiété…

Mais Mariam sentait que Sakina cachait quelque chose et elle comptait bien découvrir ce que c'était…

Sa mine défaite et ses yeux hagards trahissaient un profond mal-être, et son intuition maternelle lui soufflait que sa chère fille nageait dans des eaux troubles.

Sakina, de son côté, pensait avoir tranquillisé sa mère, et ainsi endormi sa vigilance. Elle se sentit quelque peu apaisée, et elle s'endormit d'un sommeil léger, peuplé de rêves où Ousmane était au centre...

Mariam, le lendemain, prétextant une petite fatigue, resta à la maison se reposer.

Dès qu'elle entendit sa fille claquer la porte d'entrée, signe de son départ pour la fac, elle se glissa dans la chambre de celle-ci, et entreprit de l'inspecter...

Dans un coin reculé de la penderie de la jeune fille, elle tomba sur une large boîte rose ornée de cœurs. Sentant une sensation de malaise l'envahir, elle s'assit sur l'édredon et y renversa le contenu de la mystérieuse boîte. Une kyrielle d'enveloppes s'y trouvait, ainsi que quelques photos. Ne pouvant évidemment pas prendre connaissance du contenu des missives, elle y jeta un furtif coup d'œil. Au vu du timbre qui ornait chacune d'elles, le doute ne fut plus permis : ces lettres venaient du Sénégal !

L'examen des photographies confirma ce qu'elle savait déjà, mais qu'elle refusait de s'avouer. Le jeune homme qui posait si fièrement sur les Polaroid, cigarette au bord des lèvres, ne pouvait être que le petit ami de Sakina. « Son petit ami, son petit ami... », ne cessait-elle de se répéter. Comment Sakina avait-elle pu se laisser aller à entretenir une relation amoureuse ? Sa mère, atterrée, se prit la tête entre les mains.

Depuis la naissance de sa fille, Mariam avait toujours veillé à ce que celle-ci ne manque de rien. Mais elle lui avait surtout inculqué des valeurs telles que le respect de soi-même, en tant qu'être humain, mais aussi en tant que femme. Et elle tenait plus que tout à la poursuite de ses études, car elle serait mieux outillée pour affronter les vicissitudes de cette vie. Alors, il ne pouvait aucunement être question que tout cela s'écroule !

Sakina les avait bien bernés, son père et elle... Toutes ces sorties qu'elle effectuait étaient donc destinées à retrouver son soupirant... Mariam, incrédule, se repassa le film de leurs vacances à Dakar : quand Amadou était malade, quand Sakina prétextait des courses à faire avec Bousso et Salamata... Bousso et Salamata... Elles devaient donc être au courant !

Elle regarda de nouveau la photographie.

Ce jeune homme représentait l'archétype de tout ce que Mariam abhorrait : ses vêtements un peu trop ajustés à son goût – la dernière mode sans doute –, sa mise si parfaite, son expression suffisante et calculatrice et, détail oh ! Combien choquant, sa cigarette, tout cela faisait que cet homme n'était décidément pas fait pour sa Sakina...

Il était temps de mettre fin à cette romance, avant qu'elle n'aille plus loin...

Après l'école buissonnière, Mariam découvrait que sa fille s'était entichée d'un jeune homme à Dakar. Elle allait laisser passer quelques jours, avant de lui faire part de sa découverte. Vu qu'elle lui avait déjà parlé la veille, il serait prématuré d'engager une nouvelle discussion. Mariam comptait prendre son temps, le temps de songer à tout cela à tête reposée.

Le reste de la semaine, elle fit comme si de rien n'était. Mais tous ses sens étaient en éveil.

Sakina faisait attention à ne laisser filtrer aucune émotion, car elle sentait sa mère aux aguets. Elle se forçait à paraître naturelle et maîtresse d'elle-même, mais elle ne vivait que pour les lettres d'Ousmane et comptaient les jours qui la séparaient de ses prochaines vacances à Dakar. Ses notes baissaient toujours, mais elle comptait se rattraper au 2e semestre pour les faire remonter, et ainsi valider son année avec succès. Et au terme de celle-ci, elle avait d'autres projets, à savoir abandonner définitivement les études et faire sa vie avec Ousmane.

Mais ça, ce n'était pas acquis d'avance...

Chapitre 9

Amorce de la rébellion...

Le mois de décembre se profilait à l'horizon.

Et bien entendu, c'était la période des cadeaux de Noël, mais aussi l'annonce du Nouvel An...

En sus de ses activités commerciales, Amadou Bâ faisait office de transporteur. Chaque année, durant la période de Noël, les ressortissants sénégalais de la région de l'Ile de France, mais aussi de ses environs, lui confiaient les cadeaux achetés pour leur famille restée au Sénégal, mais aussi quelquefois des sommes d'argent.

Moyennant un prix fort peu onéreux, Samba Dioul-dé confectionnait des petits colis. Une fois cinquante colis emballés, le vieux Amadou Bâ, aidé de Samba Dioulidé, se rendait au Port du Havre pour affréter un conteneur qui embarquerait sur un bateau en partance pour le Sénégal.

Dans le souci d'alléger les difficultés de ses compatriotes, Amadou Bâ ne leur faisait payer qu'une infime partie de l'acheminement des bagages et prenait le reste à sa charge. Le vieil homme était non seulement un opérateur économique, mais aussi un grand philanthrope. De sorte que dans tout ce qu'il faisait, il mettait les intérêts de ses compatriotes en avant. Qui mieux que lui pouvait comprendre la précarité et la souffrance qui constituaient le lot quotidien des populations africaines émigrées en Occident ? L'espace d'un instant, il se revit quarante ans en arrière, fraîchement débarqué de Dakar, dont le seul édifice qu'il connaissait à l'époque était l'aérogare Omar Blondin Diop.

Il était arrivé en France avec des espoirs plein la tête. Mais, une fois sur place, il avait vite déchanté. L'Europe n'avait rien de l'Eldorado qu'il se représentait, il fallait vraiment se battre pour s'en sortir, car rien n'était acquis en ces contrées étrangères et hostiles : le racisme latent, la rigueur du climat, les difficultés de subsistance…

Beaucoup de raisons qui faisaient qu'Amadou Bâ partageait tout ce qu'il avait et même plus, faisant tout ce qu'il pouvait pour aider ses compatriotes.

Tous les colis rassemblés, il prit la route du Havre le premier week-end de décembre.

Mère et fille se retrouvèrent donc seules.

La boutique fermait aussi, car Mariam avait prévu de faire l'inventaire. Elle pourrait voir ce qui lui manquait comme épices et autres condiments exotiques dont ses clientes africaines, et même européennes, raffolaient et qu'elles utilisaient pour relever le goût de leurs plats. Sakina noterait les produits manquants et Bodiel se chargerait de les acheter à Dakar.

Bodiel… Sa chère belle-sœur… Qui ne ménageait aucun effort pour la satisfaire… Mariam songea à elle avec tendresse. Elle avait énormément de chance !

Le fastidieux travail d'inventaire achevé, Mariam et Sakina retournèrent à la maison. Cette dernière appréhendait les moments à venir, car mue d'une légère angoisse, elle sentait que sa mère avait une idée derrière la tête, comme l'attestait son air enjoué, synonyme de colère contenue.

Elles dînèrent d'un plat de couscous à la viande… Ou plutôt Mariam dîna, car Sakina n'avala que quelques bouchées. Elles s'installèrent au salon, Sakina avec un roman et sa mère, son ouvrage de crochet sur les genoux.

D'emblée, Mariam attaqua :

– Es-tu au courant de cette sombre histoire de viol qui défraie la chronique ? Tout Paris ne parle que de ça…

– Mmmmhhh…

– Pauvre fille ! 18 ans à peine… C'est ce qui arrive quand une jeune fille bien comme il faut s'acoquine avec n'importe qui !

– Mmmmhhh…

Sakina répondait par monosyllabes et faisait mine de se concentrer sur sa lecture.

Mariam continua pendant près d'une heure à s'insurger contre la dépravation des mœurs, les valeurs d'antan que les jeunes d'aujourd'hui ne respectaient plus, et surtout contre les hommes qui ne recherchaient que des jeunes proies à dévier du droit chemin, trop crédules, se laissant aller à croire aux boniments de la gent masculine…

Se rendant compte qu'elle soliloquait, Mariam se tut brusquement et darda son regard sur sa fille. Celle-ci, impassible, n'avait pas daigné lever les yeux et répondait par à-coups aux propos de sa mère.

Mariam, énervée, envoya valser d'une pichenette le livre de Sakina à l'autre bout de la pièce. Celle-ci, outrée, ouvrait déjà la bouche pour protester lorsque sa mère, d'un mouvement de la main, lui intima l'ordre de se taire.

– Ça fait une bonne heure que je te parle, et tu ne daignes même pas ouvrir ta bouche pour me répondre ! Mais où as-tu donc la tête Sakina Bâ ?

– Nulle part, répondit celle-ci, agacée.

– Je ne suis pas née de la dernière pluie, alors j'exige des explications !

Malgré ses bonnes résolutions, et son désir d'instaurer le dialogue, avec sa fille, Mariam tremblait de fureur. Et l'attitude emplie de condescendance de sa fille envenimait la situation…

Ne pouvant se retenir plus longtemps, Mariam attaqua :

– Qui est ce jeune homme sur les photos que j'ai découvertes dans ta chambre ? Que représente-t-il pour toi ?

Sakina, par surprise, se mit à bafouiller et dut se rendre à l'évidence que sa mère avait fouillé dans ses affaires et avait découvert sa précieuse boîte rose. Et elle qui pensait l'avoir bien dissimulée ! De colère, elle hurla : « Ce ne sont pas tes oignons ! C'est ma vie privée ! »

– Ta vie privée ? *Allah bonnima** Sakina Bâ ! Donc, tout ce à quoi tu aspires dans ta vie c'est de t'amouracher d'un homme qui te rendra malheureuse et ensuite t'abandonnera ?

– Je sais très bien ce que je fais ! Ousmane et moi nous aimons et comptons nous marier, que cela vous plaise ou non, *Baba** et toi !

– Te marier, dis-tu ? Il faudra me passer sur le corps en ce cas, car ce mariage n'aura jamais lieu ! Tu ne le connais que depuis quelque temps et te voilà en train de parler de mariage ! As-tu pensé à ton avenir ?

– Je n'en ai cure !

Comme en rêve, Sakina sentit la main de sa mère s'abattre sur sa joue. Choquée, mais surtout furieuse, elle s'élança vers la porte d'entrée et dévala les escaliers à vive allure.

Mariam mit quelques instants à reprendre ses esprits et finit par se rendre compte que Sakina n'était plus dans la pièce. *Woy yégam yoo** se lamenta-t-elle en se ruant à son tour vers la porte.

Elle fit le tour du pâté de maisons et s'aventura un peu plus loin, à la périphérie de l'autoroute, mais nulle trace de Sakina… Les larmes lui brouillaient la vue et bout de quelques heures de recherche sans succès, elle s'en retourna à son domicile. « Je voulais juste la faire revenir à la raison », ne cessait-elle de se répéter, tout en s'acheminant vers sa demeure. Elle s'affaissa sur le linoléum de sa salle de séjour, tout en guettant le retour de sa fille.

Pendant ce temps-là, celle-ci marchait, marchait, marchait à l'aveuglette, sans destination précise. Énervement, tristesse et stupéfaction se bousculaient dans son esprit. Elle ne comprenait pas comment sa mère avait pu la gifler ! C'était insensé ! Il est vrai que Mariam était bien plus sévère qu'Amadou, mais la jeune fille ne se souvenait pas que sa mère ait jamais levé la main sur elle.

Et elle comptait bien le lui faire payer, lui faire regretter amèrement son geste, simplement en lui causant une belle frayeur… En cet instant, quoiqu'elle fut un tantinet confuse, son amour pour Ousmane n'avait jamais été aussi fort. Elle était fermement décidée à tenir tête à quiconque entraverait leur félicité.

Elle consulta son bracelet-montre. Il était 2 h du matin, l'heure de retourner chez elle. Au moment de monter les marches du perron, elle leva la tête et vit que les lumières étaient toujours allumées, ce qui signifiait que sa mère l'attendait !

Arrivée sur le palier, elle se glissa à travers la porte légèrement entrouverte. Entendant le loquet grincer, Mariam se redressa et se rendit compte que sa fille était de retour. Elle adressa une prière muette au Tout-Puissant, pour lui avoir ramené sa fille saine et sauve…

Le lendemain, et durant tous les jours qui suivirent, mère et fille firent comme si de rien n'était. Amadou Bâ, le mari et le père, ne fut bien entendu pas mis au courant de l'incident. Mais, chacune d'elles restait campée sur sa position : Sakina, intimement persuadée que son destin était lié à celui d'Ousmane, et sa mère, résolue à trouver un moyen de mettre fin à cette pseudo-romance qui l'emplissait d'appréhension (s) quant au futur de son unique fille.

Sakina écrivit une lettre à Bousso et à Salamata dans laquelle elle leur relata les événements qui ont eu lieu, son altercation avec sa mère, leur demandant leur avis qui elle l'espérait, serait on ne peut plus positif et encourageant.

Leur réponse ne tarda pas, et après en avoir pris connaissance, Sakina n'en revint pas. Elle lut et relut la missive, se heurtant à un mur d'incompréhension :

Chère Sakina,

Si tu savais à quel point tu nous manques !

Nous allons tous bien... Néné et Baba te passent le bonjour et t'envoient leurs bienveillantes bénédictions.

Ce qui s'est passé entre ta mère et toi est regrettable...

Avant même de recevoir ta lettre, Néné nous avait posé des questions sur Ousmane, car ta mère, inquiète comme tout, lui en avait parlé. Et nous avons été dans l'obligation de tout lui dire sur la nature de vos relations, vu son insistance.

Et nonobstant le fait que maman ait exprimé son profond désaccord, quand nous l'avons mise au courant de ce qu'elle savait déjà, la discussion a été fort houleuse !

Depuis que nous sommes entrées dans l'adolescence, nous avons toujours été à la recherche de partenaires masculins et nous moquions toujours de toi, si prude et inexpérimentée... Toutes ces raisons qui font que nous avons été les premières à t'encourager lorsque ton idylle avec Ousmane a débuté.

Mais nous sommes au regret de te dire qu'Ousmane n'est décidément pas quelqu'un pour toi !

Nous ne souhaitons que ton bonheur et il n'est pas celui qui te l'apportera, crois-en notre modeste expérience. Nous ne voulons pas te raconter des choses qui te feraient souffrir...

Alors pour ton bonheur, cesse toute interaction avec lui ! Avant qu'il ne t'arrive quelque chose de fâcheux.

Tes cousines qui t'aiment,

Bousso et Salamata Bâ

Sakina termina sa lecture dans un accès de fureur, roula en boule la missive et la jeta furieusement dans la benne de recyclage. Elle butait sur la dernière phrase qu'elle avait lue, *« Cesse toute interaction avec lui... »*

De quel droit ses cousines se permettaient-elles de lui dire cela ? De quel droit lui intimaient-elles l'ordre de mettre fin à sa relation avec son Ousmane bien-aimé ? Elles n'osaient quand même pas jalouser son bonheur ! Mille et une questions se pressaient dans sa tête... Elle allait et venait dans la pièce, ne sachant à quel saint se vouer.

Que sa mère et *Néné* Bodiel désapprouvent son histoire (d'amour) avec Ousmane était tout à fait logique, et surtout compréhensible.

Mais de la part de Bousso et Salamata ?

Elle n'y croyait pas.

Elles qui avaient été les premières à la pousser dans les bras du jeune homme ? Que s'était-il passé ? Il leur faudrait s'expliquer et elle comptait bien savoir pourquoi ses chères cousines vouaient ainsi aux gémonies son cher et tendre...

Pendant ce temps-là, de l'autre côté de l'Atlantique, au domicile familial des Parcelles Désassainies, Bousso et Salamata étaient en proie aux mêmes sentiments d'hébétude et d'angoisse.

Que devons-nous faire ? risqua Bousso, la tête entre les mains.

– Dire la vérité ! Que devons-nous faire d'autre ? lui répondit Salamata. Je ne vois pas d'autre issue… Connaissant Sakina, une fois qu'elle aura reçu notre lettre, elle voudra en savoir plus et nous n'aurons pas d'autre choix que de tout lui raconter !

– Tout lui raconter, dis-tu ? Tu sembles occulter à quel point Sakina est éprise d'Ousmane. Non seulement elle ne nous croira pas, mais elle nous en voudra.

Les demoiselles Bâ avaient bien raison de s'inquiéter et de craindre la réaction de Sakina. Celles-ci n'avaient plus eu de nouvelles de Ousmane depuis le départ de Sakina, jusqu'à ces deux fameuses soirées.

Du fait des nombreux moments qu'ils avaient passés tous ensemble, Bousso et Salamata pensaient (à tort ?) qu'elles reverraient souvent Ousmane. Il connaissait la maison, il pourrait aisément venir leur rendre visite dans la journée, heure à laquelle les parents étaient rarement à la maison. Elles le lui avaient pourtant fait comprendre, et il avait promis de leur rendre visite au plus vite !

Il semblait être profondément attaché à Sakina et si empli de bonnes intentions envers elle.

Après le départ de Sakina, Bousso et Salamata reprirent leur rythme effréné de sorties, au centre desquelles figurait le New Yorker, leur lieu de prédilection pour la détente. Quelle ne fut leur surprise de croiser Ousmane au détour d'une de leurs soirées. Ce fut Bousso qui le reconnut la première : ce profil, cette façon de se tenir, de s'incliner sur le côté, c'était bien Ousmane !

Salamata l'aperçut aussi, et courut lui dire bonjour. Ousmane était accompagné ce soir-là de Abdoulaye et de deux sublimes nymphes, rencontrées un peu plus tôt dans la semaine. Alcool, liqueurs, tabac, rien n'avait été ménagé par Ousmane pour rendre cette soirée mémorable…

On était au début du mois, et à l'instar de son complet veston flambant neuf, les boissons avaient été achetées avec une partie de sa paie. Cigare au bout des doigts, un verre de whisky à la main, Ousmane titubait un peu, les effluves de l'alcool lui montant à la tête. Sentant quelqu'un le tirer par la manche, il se retourna, agacé qu'on le perturbe ; il ne cacha pas sa fureur lorsqu'il reconnut Bousso, puis Salamata, les cousines de Sakina. Il ne manquait plus qu'elles ! Il avait même oublié jusqu'à leur existence ! Il les gratifia d'un bref salut et leur tourna rapidement le dos, signe qu'il n'y avait pas de place pour la causette.

Quelle ne fut la stupéfaction des deux jeunes filles face à cette hostilité à peine masquée ! Abdoulaye, qui avait assisté à la scène, eut de la peine à réprimer sa gêne… Il se sentait mal, mais connaissant Ousmane, et surtout son ego surdimensionné, il savait que ce ne serait même pas la peine de discuter avec lui. Quant à Bousso et Salamata, elles étaient en état de choc ! Choquées non seulement par l'accueil glacial que leur avait réservé Ousmane, mais aussi par son état d'ébriété, elles finirent par s'offusquer du fait qu'il était entouré d'une cour féminine ! Il n'avait certes pas fait vœu de fidélité envers Sakina, mais au vu des événements de l'été passé, il se devait au moins de respecter les profonds sentiments que Sakina éprouvait à son égard. En plus il buvait ! Ousmane révélait ainsi son vrai visage !

L'incident avait ébranlé Bousso et Salamata, mais par souci de protéger Sakina, elles décidèrent de ne rien lui révéler… pour le moment… Jusqu'à la deuxième rencontre avec Ousmane qui survint plus tôt qu'escompté…

Amadou Bâ envoyait tous les mois, à son frère Thierno Omar et sa femme Bodiel, une somme conséquente destinée à leur subsistance et leurs menus besoins… Ceux-ci avaient beau protester, car Amadou était si bon envers eux et leurs deux filles, celui-ci ne voulait rien entendre, tenant absolument à ce que son jeune frère et sa famille vivent dans les conditions les meilleures.

Tous les mois, Bousso, Salamata, ou leur mère, s'en allait récupérer l'argent envoyé par leur oncle ou beau-frère Amadou. Le marché Sanagra abritait en son sein quelques boutiques communément appelées *Diokka-lanté** où l'on pouvait recevoir argent, colis et autres menues marchandises provenant de l'Europe, de l'Amérique, et même de l'Asie.

Les expatriés sénégalais envoyaient à leurs familles le plus souvent de l'argent, et celles-ci le recevaient en toute sécurité. Franc français, deutsche mark, escudo, franc belge, lire (italienne), peseta, sont les devises qui s'échangeaient en ces lieux.

Bousso fut chargée d'aller retirer l'argent, après force exhortations à la prudence de la part de sa mère. Car le marché Sanagra était non seulement réputé être l'un des « poumons » économiques de la capitale sénégalaise, mais il était aussi sujet à l'insécurité.

La jeune fille se hâtait vers le lieu où elle devait retirer la somme d'argent… Serrant son sac contre elle, elle pressait le pas, afin d'en finir et de rentrer chez elle. Elle n'était plus qu'à quelques encablures du magasin indiqué par sa mère, si elle s'en référait à l'adresse griffonnée sur un bout de papier. Elle ressortit celui-ci une dernière fois, histoire d'être sûre de là où elle allait. Dans son empressement, elle renversa le contenu de son portefeuille sur la chaussée.

Pestant d'être si maladroite, elle se baissa rapidement pour ramasser ses affaires éparses, et se releva prestement, apeurée par des éclats de voix. Deux jeunes hommes se faisaient face, l'un, dreadlocks au vent, une longue cicatrice lui barrant le visage, était tout en muscles.

La rage déformait son visage rubicond et du bout de ses doigts boudinés, il tenait son vis-à-vis au collet. Celui-ci, apeuré et claquant des dents, prononçait des phrases inintelligibles et tentait vainement de se dégager de la poigne de fer de son assaillant.

Bousso, tout comme la foule qui grossissait à vue d'œil, s'était approchée pour ne rien rater de la scène. Elle eut un peu de peine à reconnaître le type qui se faisait malmener. « Mais non, ce n'est pas possible ! », se dit-elle. Couvrant sa bouche de sa main tremblante, elle se rendit finalement à l'évidence. C'était bien Ousmane qui se faisait violenter. Le jeune homme avait perdu de sa superbe et n'était plus que l'ombre de lui-même.

Le colosse qui le secouait l'abreuvait en outre d'insanités et le sommait de le payer après avoir consommé « sa marchandise ».

– Tu dois payer maintenant ! Je t'ai livré un produit de première qualité ! Alors n'essaie pas de m'arnaquer !

– Mais je n'ai aucunement l'intention de t'arnaquer, lui répondit Ousmane. J'attendais juste de réunir la somme nécessaire au paiement. De plus, je n'ai pas été le seul à consommer la poudre.

Un coup de poing projeta Ousmane à terre, lui laissant à peine le temps d'achever sa phrase.

Bousso s'éloigna, toute secouée, non seulement en raison de la foule des badauds qui s'épaississait, mais aussi par peur que la police survienne… Tout en se hâtant vers la boutique où elle allait retirer son mandat, Bousso ne cessait de se remémorer la scène à laquelle elle venait d'assister. Ses pensées voguaient dans tous les sens, et la ramenaient à Sakina qui se consumait d'amour pour Ousmane… Amour que ce dernier ne méritait pas le moins du monde, vu les événements de ces derniers jours.

Le fait de découvrir qu'Ousmane buvait avait été un choc, mais savoir qu'il consommait une certaine « poudre » ne laissait pas de place au doute : il se droguait ! Car se quereller dans cette partie du marché Sanagra renseignait sur la nature de ses activités et de ses fréquentations. « Il s'est bien joué de nous ! » se lamenta-t-elle. Pendant tout le temps qu'avait duré le séjour de Sakina à Dakar, il avait joué à merveille le rôle de l'amoureux dévoué, galant et soucieux du bien-être de sa belle.

Mais cette scène à laquelle elle venait d'assister sonnait le glas de ses espérances, quant à un avenir entre Ousmane et Sakina ! Sa sœur partagerait son avis. Ce fut le cas… Dès qu'elle lui narra ce qu'elle avait vu, Salamata rentra dans une colère noire et traita Ousmane de tous les noms d'oiseaux… Au terme d'une longue délibération, les deux sœurs décidèrent d'adresser une correspondance à Sakina. Sa réponse ne se fit point attendre… Comme Bousso et Salamata l'avaient prévu, celle-ci exigeait des éclaircissements.

Alors, Bousso et Salamata n'eurent d'autre choix que de tout lui raconter : leur rencontre avec Ousmane au New Yorker, l'attitude de celui-ci à leur égard, les boissons alcoolisées qui coulaient à flots, les filles dont il était accompagné. Elles renchérirent avec l'incident survenu au marché Sanagra, qui venait s'ajouter à la longue liste de griefs que les cousines de Sakina avaient dressée contre Ousmane. Ce que Bousso et Salamata redoutaient le plus se produisit. À la lecture de leur réponse, Sakina fut plus que jamais confortée dans l'idée que ses cousines la jalousaient et voulaient son malheur. Sa mère, Bousso, Salamata et Néné Bodiel : la liste des personnes désapprouvant sa relation avec Ousmane était fort longue !

Mais Sakina ne comptait pas renoncer pour autant à l'homme qu'elle aimait. Personne n'avait le droit d'interférer dans sa vie et de lui dire comment la mener ! Elle épouserait Ousmane contre l'avis de tous ! L'année académique touchait à sa fin, et comme l'avait prévu Sakina, elle avait rattrapé le retard accumulé lors du premier semestre de cours. Ses notes étaient excellentes et son passage en classe supérieure était largement assuré. Toutefois, en son for intérieur, elle savait qu'elle n'irait pas en licence, car les études ne l'intéressaient plus… Mais ses parents ne le savaient pas encore…

Chapitre 10

Amours interdites...

Les vacances d'été arrivèrent et la famille Bâ, comme chaque année, allait passer ce moment au Sénégal...

Mais elles ne se passeraient pas aussi paisiblement que toutes les précédentes. Elles seraient le théâtre de nombreux bouleversements, au cœur desquels se trouvait Sakina.

Celle-ci avait fiévreusement attendu l'arrivée de l'été, car ce serait l'occasion de révéler à sa famille la nouvelle voie dans laquelle elle prévoyait de s'engager.

La période d'accalmie durant laquelle elle s'était remise à étudier avait grandement rassuré ses parents ; surtout sa mère, Mariam, qui se disait que le Ciel avait entendu ses prières, que sa fille avait recouvré ses esprits et qu'elle était redevenue la jeune fille polie et consciente de son statut social qu'elle avait toujours été. Mais, elle était à mille lieues de se douter des pensées qui agitaient Sakina.

Ils foulèrent le sol de l'aéroport dakarois à l'aube du 1er août 1981. Comme d'habitude, le frère d'Amadou, Thierno Omar, vint les chercher. « Les habitudes ont décidément la peau dure », pensait Sakina que les salamalecs et autres effusions agaçaient dorénavant. Elle faisait montre d'indifférence par rapport à tous ceux qui l'entouraient, car un seul être trouvait désormais grâce à ses yeux : Ousmane.

Elle embrassa sa tante Bodiel du bout des lèvres et eut à peine un regard pour Bousso et Salamata. Celles-ci, au vu des derniers échanges épistolaires qu'elles avaient eus avec Sakina, n'en furent guère étonnées. Mais rien n'échappa à leurs mères, Bodiel et surtout Mariam... Celle-ci attendait le moment propice pour tenir une petite réunion où elle s'expliquerait avec Sakina, en compagnie de Bodiel et de ses filles...

Tous les ans, quand Sakina retrouvait ses cousines, elle était heureuse, car non seulement elle revoyait des membres de sa famille, mais aussi des confidentes, des partenaires. En somme, les seules personnes à même de la comprendre, mais aussi de la conseiller, surtout dans le domaine sentimental où Sakina n'avait aucune espèce d'expérience.

Ses cousines la traitaient souvent de « *tchoukalél** », en se moquant de son inexpérience et de sa candeur avec les hommes. « Et maintenant que j'ai trouvé l'homme de ma vie, elles s'érigent en moralisatrices de la dernière heure ! Je ne permettrai à personne d'entraver ce bonheur si longtemps attendu ! » Tout en gravissant les marches menant à sa chambre, Sakina ruminait ces sombres pensées. Cette nuit-là, aucun gloussement ne résonna dans la chambre que partageaient les trois jeunes filles. Leur complicité d'antan était révolue... C'est dans un calme plat qu'elles passèrent la nuit.

Le lendemain, Amadou et Thierno Omar sortis, Mariam en profita pour tenir une réunion «entre femmes». Avec l'aval de sa belle-sœur Bodiel, elle réunit les trois jeunes filles de la maison sous la véranda. Sa position de personne la plus âgée de l'assistance lui conférait de droit la direction de l'assemblée.

Sans ambages, elle commença par rappeler le pourquoi de la tenue de cette discussion, à savoir les récents événements ayant eu lieu à Paris : la découverte de la romance de sa fille, la houleuse confrontation qui s'en était suivie… Mariam finit par rendre grâce à Dieu, car Sakina semblait avoir pris la résolution de retourner sur le droit chemin. Bodiel renchérit, en insistant sur le fait que des jeunes filles issues d'une si noble famille ne devaient aucunement placer la gent masculine au centre de leurs préoccupations.

Sakina avait gardé la tête baissée, contenant sa fureur… Bousso et Salamata, enhardies par cette attitude qu'elles prenaient pour de la repentance de la part de Sakina, jouèrent leur partition elles aussi…

Elles évoquèrent le rôle qu'elles avaient joué dans l'histoire de Sakina et Ousmane, tout en occultant bien sûr leurs déambulations nocturnes, car cela aurait provoqué l'ire des deux vieilles femmes. Elles s'appesantirent sur la cause qui les réunissait toutes et motivaient la tenue de cette assemblée : le bonheur de Sakina !

Le dernier mot revenait à la principale concernée. Après avoir écouté les interventions de sa mère, de sa tante, et surtout de Bousso et Salamata, elle était plus que jamais convaincue que celles-ci la jalousaient. Il était temps de solder ses comptes et de leur montrer à toutes qu'elle ne reculerait devant rien.

Consciente que tous les regards étaient braqués sur elle, la jeune fille se redressa lentement et dans une attitude de défi, énonça posément : « Il est hors de question que j'abandonne Ousmane… Il est l'homme de ma vie ! Vous feriez mieux de vous faire une raison par rapport à cela et de l'accepter ! »

Sa mère faillit s'étrangler en entendant ce que sa fille avait osé dire. Prévoyant sa réaction, Bodiel s'interposa entre la mère et la fille qui s'observaient en chiens de faïence. Dans l'optique d'apaiser la tension, elle posa un bras apaisant sur l'épaule de Mariam…

L'atmosphère était lourde et du fait de la colère qui animait Sakina et sa mère, Bodiel prit les devants. Vu l'impasse dans laquelle toutes se trouvaient, elle proposa que le différend soit porté à l'attention des deux hommes de la maisonnée : Thierno Omar et Amadou. Leur avis serait le bienvenu et apporterait une solution de sortie de crise.

Mariam, de guerre lasse, opina. Elle n'avait plus la force de discuter. S'énerver contre sa fille ne servirait à rien, sinon à aggraver les choses. Raison pour laquelle elle fut d'accord que l'affaire soit portée à un échelon supérieur.

Elle était prostrée, dans une attitude de désolation extrême et ne savait plus à quel saint se vouer. Sakina, pour sa part, ne pouvant supporter davantage l'atmosphère délétère de la maison, s'élança dehors. Elle héla un taxi et s'y engouffra prestement. Le fait de s'éloigner de chez elle n'était en réalité qu'un prétexte pour aller retrouver Ousmane.

Depuis son arrivée à Dakar, elle brûlait d'impatience de le revoir. Arrivée devant la banque, elle hésita une fraction de seconde : « Et s'il n'était pas là ? » « Mais non, il sera là ! » se reprit-elle. C'était le début de la semaine, il était 13 h ; et si ses souvenirs étaient exacts, Ousmane était en faction jusque 18 h, moment où Abdoulaye prenait le relais.

Remontant l'allée, elle l'aperçut sur le côté en train de fumer une cigarette, appuyé contre le tronc de l'arbre qui faisait face à la baie vitrée. Elle se précipita derrière lui et l'enlaça. Pris de court, il sut que c'était elle avant même de se retourner. Ce rire cristallin ne pouvait appartenir qu'à une seule personne : Sakina ! « La voilà enfin ! », se dit-il tout en la prenant dans ses bras. S'écartant légèrement, il la contempla d'un œil appréciateur. Le pantalon de lin blanc assorti à une tunique de la même couleur qu'elle portait, faisaient admirablement ressortir son teint d'albâtre et ses grands yeux en amande, de même que ses courbes harmonieuses. Le caractère enfantin de Sakina était largement compensé par son extrême beauté. Émoustillé, Ousmane attira la jeune fille un peu à l'écart et s'empara avidement de ses lèvres. Sa dulcinée répondit avec la même ardeur à son baiser. Ils se séparèrent quelques dizaines de minutes plus tard, le souffle court et les yeux brillants.

N'ayant encore échangé aucun mot, ils s'empressèrent de prendre des nouvelles de leurs familles respectives. Tout en lui narrant l'année qu'elle venait de vivre loin de lui, Sakina scrutait intensément le visage de son bien-aimé. « Mon Dieu, quel bel homme ! J'ai décidément beaucoup de chance de l'avoir ! » Telles étaient les pensées de la jeune fille, dont le cœur empli d'amour idéalisait Ousmane à l'extrême. Dans les propos qu'elle lui tenait, elle prit grand soin d'omettre un certain nombre de choses et d'événements : sa mésentente avec sa mère, la lettre que lui avaient adressée Bousso et Salamata, et enfin la discussion houleuse qui venait d'avoir lieu aux Parcelles Désassainies.

Ousmane voyait bien que quelque chose tracassait Sakina. Mais il prit le parti de ne rien lui demander. Elle lui en parlerait quand ils auraient plus de temps à eux. La pause d'Ousmane tirait à sa fin, il devait rapidement rejoindre son poste. Sakina aussi devait rentrer avant le retour de son père. Les deux amoureux se donnèrent rendez-vous le lendemain dans la soirée. Ousmane retrouverait Sakina au jardin public situé à quelques mètres de chez elle. Lieu fort symbolique, car c'est là que les deux jeunes gens avaient passé l'une de leurs dernières soirées.

Après une ultime étreinte, ils se séparèrent. Ousmane ne quitta la jeune femme des yeux que lorsqu'elle claqua la portière du taxi qui la ramenait chez elle.

Il était en proie à une joie indicible.

La venue de Sakina jusque sur son lieu de travail était une preuve de l'amour profond qu'elle lui vouait. Quand elle s'en est retournée en France, Ousmane n'était pas sûr que leur romance continue.

Il est vrai que Sakina et lui avaient entretenu une correspondance régulière, ou plutôt il avait répondu aux innombrables lettres qu'elle avait écrites, mais un doute subsistait quand même. Le jeune homme avait eu peur que la mère de Sakina découvre leur liaison et veuille y mettre fin, ou encore que ses cousines Bousso et Salamata lui aient narré leur rencontre au New-Yorker. Quoi qu'elles aient pu lui dire, il avait déjà planifié une stratégie de défense. Pire même, il prévoyait de monter Sakina contre elles, en lui faisant croire que ses chères cousines enviaient le couple qu'ils formaient.

Rien ni personne ne l'empêcherait d'atteindre son but ultime, à savoir épouser Sakina, et enfin s'envoler vers l'Hexagone !

Pour la première fois depuis un an, Sakina se sentait en paix, heureuse et appréhendant l'avenir avec sérénité. Effleurant ses lèvres du bout des doigts, elle ferma les yeux et se repassa les moments courts, mais intenses en émotion de ses retrouvailles avec son Ousmane chéri !

Perdue dans sa rêverie, elle ne remarqua même pas que le taxi s'était immobilisé devant le portail. Ce n'est que lorsque le conducteur klaxonna qu'elle se rendit compte qu'elle était arrivée. Elle paya la course, et toute guillerette, poussa la porte. Mais sa joie fut de courte durée.

Quelle ne fut sa surprise de découvrir la famille au grand complet réunie sous la véranda !

Ses parents, son oncle Thierno Omar, sa tante Bodiel, Bousso et Salamata, ils étaient tous là, les mines graves, semblant traiter une affaire d'une haute importance, car ils s'interrompirent à son entrée.

Sa mère, d'un ton ferme, lui intima l'ordre de s'asseoir.

Son père prit la parole.

À entendre sa voix, Sakina sut qu'il était en colère. Son cœur se mit à battre la chamade, la peur la submergeait, mais elle n'en fit rien paraître et s'assit.

Sans prendre de gants, le vieux Amadou Bâ alla à l'essentiel, à savoir le jeune homme avec lequel elle entretenait une relation amoureuse, le désaccord de sa mère, le déshonneur qu'elle jetait sur sa famille face à son refus de se séparer d'Ousmane.

À la fin de sa diatribe, son père lui dit :

– Qu'as-tu à dire pour ta défense ? Tu nous déçois Sakina Bâ, toi notre enfant unique !

Et Mariam se mit à pleurer, à se lamenter, et à implorer le Ciel de remettre sa fille sur la voie de la raison. Quoiqu'émue par la détresse de sa mère, Sakina ne changea pas d'avis pour autant. Le regard fixe, la voix tremblante, mais ferme, elle fit part à ses parents de sa décision d'abandonner ses études et de s'unir à Ousmane.

Quand elle eut fini, son père reprit la parole, imperturbable :

– À supposer que l'on soit d'accord que tu arrêtes ta formation et que tu te maries avec Ousmane, comment vivrez-vous ? Car il va bien falloir que vous disposiez de moyens de subsistance...

– Il vivra en France, et dans un premier temps, je travaillerai. Ensuite, il trouvera un emploi.

– Et où vivrez-vous ?

– Le deux-pièces qui se trouve au-dessus du magasin à Paris est inoccupé. Nous pourrions l'occuper...

– Tu as décidément réponse à tout ! Tu n'as jamais manqué de rien Sakina, nous avons toujours fait en sorte que tu sois dans les conditions les meilleures ! Habillement, éducation, loisirs, pécule... Rien ne t'a jamais manqué ! Ta mère et moi avons tenté, autant que c'était possible, de t'offrir toutes les choses qui nous ont si cruellement fait défaut durant notre enfance. Concernant tes études, il est hors de question que tu les stoppes prématurément ! Aie au moins ta licence, de façon à mettre toutes les chances de ton côté sur le marché de l'emploi. De plus, il faut que nous rencontrions ce jeune homme, afin de connaître ses réelles intentions. À ce moment-là, je trancherai.

Sur ce, Mariam s'écria : « Mais il est impensable que ce gus franchisse le seuil de ma demeure ! *Allah bonni** Sakina Bâ ! Amadou, *ko woni* ? * Es-tu conscient de ce que tu fais ? »

Son mari, d'un geste de la main, l'arrête, et calmement reprit :

– Femme, on ne peut aller contre la volonté divine. Si Dieu, qui a mis sur le chemin de Sakina ce jeune homme décide de leur union, nous simples mortels n'y pourrons rien. C'est mon opinion, et en ma qualité de chef de famille, j'entends qu'elle soit respectée !

Après-demain, après la prière du crépuscule, je te recommande Sakina, de m'amener ce jeune homme ici.

Et sur ces entrefaites, le vieux Amadou se leva, suivi de son frère Thierno Omar.

Le débat était clos.

Amadou, le patriarche avait tranché et tout le monde devait se conformer à sa décision.

Sakina oscillait entre le soulagement et l'inquiétude. Elle était soulagée qu'il n'y ait pas eu un second esclandre, comme celui de ce matin, mais aussi inquiète qu'Ousmane ne fasse pas bonne impression, et que son rêve de convoler avec lui s'évapore comme de la fumée.

« Tout ira bien… Tout ira bien… » se répétait-elle intérieurement, en regagnant sa chambre. Elle mettrait à profit leur rendez-vous du lendemain pour en parler avec lui. Elle était sûre qu'il mettrait toutes les chances de son côté !

Mariam, pour sa part, tentait de se résigner à la décision qu'avait prise son mari. Mais ce n'était pas chose aisée. « Qu'il en soit ainsi », se dit-elle, tout en faisant ses ablutions. Sakina était jeune, belle et pouvait avoir n'importe quel homme. Mais il était vraiment trop tôt pour qu'elle songe au mariage. S'il ne tenait qu'à elle, elle lui aurait formellement interdit de revoir Ousmane, car cette romance était une bêtise !

Mais puisque Amadou tenait à rencontrer Ousmane, ce serait le cas… Et si leur union devait être scellée, personne n'y pourrait rien. « J'espère juste qu'il rendra ma Sakina heureuse ! »

Chapitre 11

Contre mauvaise fortune bon cœur !

Ousmane et Sakina se retrouvèrent, comme convenu, au jardin public près de la demeure de la jeune fille.

Vu qu'ils disposaient d'un peu plus d'intimité, Ousmane posa enfin la question qui n'avait cessé de lui tarauder l'esprit durant ces deux jours.

– Que se passe-t-il ma douce ? Y a-t-il quelque chose dont tu souhaiterais que nous parlions ?

Sakina sauta sur la perche qui lui était ainsi tendue. Car dès qu'elle se trouvait en présence d'Ousmane, elle n'arrivait plus à penser rationnellement, tout son être tendait vers cet homme qu'elle chérissait tant. Maintenant que l'occasion se présentait, elle allait pouvoir s'épancher.

Elle raconta tout : la terrible soirée durant laquelle sa mère et elle s'étaient violemment querellées, suite à la découverte de leur relation, la lettre truffée de mensonges que lui avaient adressée Bousso et Salamata, faisant état de sa consommation d'alcool et des nymphes dont il était entouré, enfin de l'attitude condescendante dont il avait fait preuve à leur égard.

Pendant qu'elle parlait, Ousmane réfléchissait... Ce qu'il redoutait était arrivé... Il réglerait ce détail au plus vite...

Sentant qu'elle n'avait pas fini son récit, Ousmane pressa doucement la main de Sakina, l'encourageant à continuer.

Elle aborda la seconde partie de son propos : les deux réunions familiales ayant eu lieu à Dakar, l'une avec sa mère, l'autre incluant toute la famille, le souhait de son père de rencontrer Ousmane, avant de donner son accord final.

En entendant cela, Ousmane sentit son cœur effectuer un bond dans sa poitrine. « Cela s'avère plus facile que je ne l'escomptais ! Le père veut me rencontrer ? Qu'à cela ne tienne ! Je lui ferai l'impression la meilleure qui soit ! »

Sakina se tut enfin. Ousmane en profita pour mettre son plan à exécution. Il sentait Sakina émotive à souhait, c'était le moment ou jamais. Faisant fi de la gadoue qui bordait la chaussée, Ousmane s'agenouilla. Le pantalon de lin kaki qu'il portait serait taché à coup sûr, mais il n'en avait cure… Plongeant son regard dans celui de Sakina, il lui susurra d'une voix de velours : « Veux-tu m'épouser Sakina Bâ ? »

La gorge nouée par l'émotion, Sakina ne put que hocher la tête, pendant que de grosses larmes ruisse-laient sur ses joues.

Voyant qu'il avait touché un point sensible, il s'engouffra dans cette brèche : « Tu sais que je ne roule pas sur l'or. Je ne peux en conséquence pas t'offrir la vie que tu mérites, car tu es une vraie princesse, Sakina Bâ. Mais sache que mon amour pour toi est entier et infini ! »

Essuyant ses larmes du bout des doigts, Sakina se lova dans les bras d'Ousmane. Quelques minutes passèrent, durant lesquelles la jeune fille prit le temps de recouvrer ses esprits. Inspirant profondément, elle prit le temps de répondre : « Je veux être ta femme Ousmane, je ne désire que cela... Ta situation financière m'importe peu, je n'ai pas besoin de te le dire. Et quand nous aurons célébré notre union, nous vivrons en France. Mes parents nous aideront à nous installer et tu pourras ensuite chercher un emploi, de même que moi. »

Ousmane, rasséréné par cette réponse, se renversa sur le banc de pierre sur lequel il était assis et attira Sakina plus près de lui...

Il sentait que l'entrevue avec le père de la jeune fille ne serait pas aisée, mais il donnerait le meilleur de lui-même et montrerait son meilleur jour à la famille Bâ.

Les éventuels caprices et autres exigences viendraient après... Qu'il se marie d'abord avec Sakina, et ensuite il se comporterait comme il l'entendrait !

Le lendemain, sur les coups de 18 h, Ousmane se présenta à la porte du domicile des Bâ. Il avait pris grand soin de choisir sa tenue : boubou blanc bien amidonné, assorti à des babouches jaunes et un bonnet. Sachant pertinemment que son habillement serait scruté et jaugé, il avait délibérément opté pour un ensemble africain.

De plus, il n'était pas venu les mains vides : il avait ramené des noix de cola et des rafraîchissements. Le choix du cola n'était pas fortuit : très appréciée des personnes âgées pour ses vertus curatives et adoucissantes, elle représentait en outre le symbole des unions en Afrique.

À son arrivée, il fut introduit dans le living-room par Sakina. En attendant l'arrivée de son père, il procéda à un rapide examen des lieux. Le mobilier était simple, mais d'un goût exquis. Les Bâ ne versaient pas dans l'ostentation, mais cela se voyait qu'ils étaient des gens qui gagnaient bien leur vie.

En entendant des bruits de pas se rapprocher, Ousmane se reprit et se composa un masque, mélange de politesse et de déférence sur le visage…

Se levant prestement, il alla au-devant du vieil homme qui fit son entrée et le salua des deux mains. Amadou Bâ l'invita à s'asseoir. L'échange put commencer. Prenant des nouvelles de sa famille, le vieux Bâ questionna Ousmane sur sa famille, sa vie à Dakar et ses diverses activités.

La tête baissée, Ousmane entreprit de dépeindre les dures conditions de vie qui avaient été les siennes, en compagnie de ses parents, ses frères et sœurs, dans leur village de Ndimaal. Venu à Dakar pour gagner sa vie et aider ses parents, il avait trouvé un emploi de vigile à la banque Afreeka.

Tout en l'écoutant, Amadou Bâ égrenait son chapelet et ne quittait pas son interlocuteur des yeux. « Un brave garçon, pieux, qui plus est responsable. » Il détailla discrètement la tenue d'Ousmane et valida celle-ci. Africaniste convaincu, ardent défenseur de la culture sénégalaise et particulièrement pulaar*, il ne pouvait qu'apprécier la façon dont était habillé Ousmane.

Il pria son hôte de l'excuser et entreprit d'aller chercher son frère Thierno Amadou. Celui-ci arriva et fut présenté à son tour à Ousmane. Dès qu'il le vit, Ousmane sut qu'il était le frère d'Amadou, tellement la ressemblance était frappante.

Ousmane se fit un plaisir de répéter l'histoire si savamment concoctée. À la question de savoir quelles étaient ses intentions envers Sakina, il répondit : « l'épouser, la rendre heureuse, tout simplement... »

Les deux hommes se concertèrent du regard et Amadou hocha la tête en signe d'assentiment, puis reprit : « Sache, Ousmane Wane, que la main de Sakina t'est acquise. Tu me sembles être un jeune homme pétri de qualités, qui sait ce qu'il veut et de plus, qui se bat pour réussir ! Je respecte cela... Les considérations matérielles et financières m'importent peu. Sakina est mon unique enfant, tout ce que je te demande, c'est de prendre bien soin d'elle et de la rendre heureuse. »

Sur ces entrefaites, Mariam apparut.

Elle salua Ousmane et s'installa aux côtés de son époux. Elle examina le nouveau venu de pied en cap et eut beaucoup de mal à reconnaître le fringant jeune homme posant avec tant d'arrogance sur les photographies qu'elle avait vues à Paris. Elle lui accorda le bénéfice du doute et faisant contre mauvaise fortune bon cœur, elle songea qu'il ferait peut-être le bonheur de sa fille adorée.

Amadou l'informa de l'intention d'Ousmane de convoler en justes noces avec Sakina. Elle accorda sa bénédiction de mère et formula des prières pour que le

Seigneur bénisse et protège le futur couple ; tout en faisant de fortes recommandations à Ousmane.

Celui-ci, heureux et surtout soulagé, disait oui, acquiesçait à tout ce qu'on lui posait comme conditions. Il n'avait plus qu'à prévenir ses parents, qui devraient faire le déplacement à Dakar où aurait lieu le mariage. Cérémonie qui serait bien entendu entièrement prise en charge par les parents de Sakina. Rien ne fut demandé en termes de participation pécuniaire aux parents d'Ousmane, encore moins au jeune homme, lui-même, qui n'avait pour seules obligations que d'honorer sa jeune épouse… Une fois que le père et la mère d'Ousmane, Seydatal et Mamoudou Wane, seraient mis au courant et auraient accordé leur aval, un jour serait fixé pour les épousailles.

Dès le départ d'Ousmane, Amadou s'empressa de dicter une missive à Sakina, adressée à Ramata Bâ, grande sœur d'Amadou et Thierno Omar. Garante de l'autorité de la famille Bâ, aucune décision ne se prenait sans elle. Son frère, dans la correspondance qu'il lui adressait, la mit au courant des changements qui allaient avoir lieu dans la vie de sa nièce, lui enjoignant de venir le plus rapidement possible à Dakar.

Toute la famille se réjouit de l'annonce du mariage de Sakina et Ousmane. Se joignant à l'allégresse générale, Bousso et Salamata demeuraient sceptiques, mais elles n'en firent rien laisser paraître.

Échangeant des regards de connivence, elles se comprirent à demi-mot. Ousmane était un « boy Dakar »*, plus préoccupé d'être tiré à quatre épingles, d'aligner les conquêtes féminines, ou encore d'écumer les dancings. Et dire qu'il était prévu qu'il aille rejoindre Sakina à Paris... Dieu seul savait ce qu'il était capable d'y faire ! Elles n'avaient qu'à prier pour qu'il soit à la hauteur de l'amour incommensurable que lui vouait Sakina, mais ce n'était pas gagné !

Elles félicitèrent chaleureusement leur cousine qui, toute à son bonheur, accueillit leurs vœux avec émotion. La hache de guerre semblait être enterrée. Le différend qui opposait les trois jeunes filles était résolu, et Sakina pouvait à présent entrevoir la vie pleine de bonheur qui l'attendait...

Mais pour l'heure, elle devait songer à organiser sa cérémonie de mariage. Pour ce faire, elle avait besoin que sa famille soit unie autour d'elle.

Sitôt rentré chez lui, Ousmane se fit un plaisir d'informer Abdoulaye. « Décidément, tu m'étonneras toujours, mon vieux ! Tu vas épouser Sakina ? C'est formidable ! Toutes mes félicitations ! », lui lança son ami tout en l'étreignant.

Lorsqu'il voulut le conseiller sur les obligations maritales qui seraient les siennes, Ousmane quitta la pièce tout en déclarant : « Je sais ce que j'ai à faire ! » Il savait très bien où Abdoulaye voulait en venir. Sakina l'aimait, l'adulait même, sa famille semblait l'avoir totalement adopté, son installation prochaine à Paris était quasi assurée, que pouvait-il demander de plus ?

Il ne laisserait pas Abdoulaye assombrir sa bonne humeur.

Se faire accepter par la famille de Sakina n'avait pas été chose aisée. Et maintenant que c'était chose faite, plus rien ne l'arrêterait !

Il ne prit même pas la peine de dîner, il n'avait pas faim. Son bonheur était tel que le bol de soupe infect qui constituait son souper frugal pouvait attendre jusqu'au lendemain. Il se promit mentalement de rédiger une lettre à ses parents. Ils seraient si heureux et fiers !

Il ne tarda pas à sombrer dans un sommeil réparateur avec ses pensées enchanteresses d'une journée bien remplie.

Chapitre 12

Noces fastueuses

Dès qu'elle reçut la lettre de son frère, l'informant du prochain mariage de sa nièce avec un jeune homme dénommé Ousmane, la vieille Ramata fut emplie d'une joie indicible. Elle vouait à Sakina une profonde affection, la considérait comme sa propre fille, en raison notamment de la forte ressemblance qui subsistait entre elles.

Elle s'empressa de réunir le Conseil des Notables de Bâydel pour leur annoncer l'heureux événement.

À partir de ce moment, les cadeaux de toute nature commencèrent à affluer dans sa concession : agneaux, calebasses de couscous, outres de lait frais et caillé, étoffes chatoyantes, huile de palme, sommes d'argent. Les habitants de Bâydel, chacun à sa manière, voulait apporter sa participation, si modeste fût-elle, à la réussite de la cérémonie. Amadou Bâ était un digne fils du terroir, par conséquent, son bonheur était celui de tout le village. Ramata loua une camionnette où elle entassa tant bien que mal son précieux butin et accompagnée de deux griottes et de quelques vieux amis d'Amadou, se rendait à Dakar…

Les parents de Ousmane aussi ne furent pas en reste. Seydatal et Mamoudou Wane furent très fiers de savoir que leur fils aîné avait rencontré une fille de bonne famille à Dakar. Et cerise sur le gâteau, cette jeune fille résidait dans le pays des toubabous*.

La mère d'Ousmane remercia le Ciel d'avoir placé cette Sakina sur le chemin de son fils adoré. Le fait qu'il soit son premier fils plaçait Ousmane dans la délicate position d'exemple à suivre… Et il n'avait jamais failli à cette tâche…

Il n'était revenu au village que fort rarement depuis son installation à Dakar, mais s'efforçait de leur envoyer à chaque fin de mois une somme conséquente qui leur permettait de vivre plus décemment.

Ousmane leur avait précisé que les frais de la cérémonie seraient entièrement pris en charge par les parents de Sakina, mais le couple Wane n'avait rien voulu entendre et voulait apporter sa contribution, même si celle-ci était symbolique. Le père d'Ousmane, Mamoudou Wane, bien que ne disposant pas de ressources substantielles, était un homme droit et foncièrement digne. Il jugea convenable de charger deux béliers sur le toit de la voiture qui l'emmenait vers la capitale.

Ousmane vint les chercher à la gare routière. Dès qu'ils le virent, ses parents eurent un choc : leur fils Ousmane qui les avait quittés, des années auparavant pour la capitale, était radicalement différent de celui-ci. Le jeune homme qui avait si fière allure dans sa chemise à carreaux et son pantalon à pinces ne gardait aucune trace de cet autre Ousmane de naguère.

Pendant que son père critiquait vertement sa façon occidentale de s'habiller, sa mère l'embrassait avec effusion. Offusqué de se voir traiter en gamin, ce qu'il n'était pas, Ousmane serra les dents et contint sa rage. De plus, la tenue de ses parents ne lui faisait guère honneur : sa mère arborait une robe dont la couleur bleue était largement déteinte et un foulard de tête négligemment noué ; et son père, un de ses sempiternels boubous rapiécés de partout. Malgré l'inconfort que lui inspirait cette vue, il ne pipa mot et les mena chez lui. Il les installa dans sa chambre. Il avait convenu avec Abdoulaye de partager la sienne, le temps du séjour de ses parents.

Dès le lendemain soir, la famille Wane se rendit au domicile des Bâ. La visite avait été confirmée dans l'après-midi, quand Sakina était passée voir Ousmane à la banque.

Après les salutations d'usage, l'on alla directement à l'essentiel, à savoir le mariage de Sakina et Ousmane.

Un accord fut trouvé. Le mariage serait célébré dans dix jours, un jeudi. Malgré les véhémentes protestations de Seydatal et Mamoudou, Amadou et Mariam ne voulurent rien entendre, mais acceptèrent néanmoins les béliers offerts. Ils avaient très tôt compris que les parents d'Ousmane étaient des gens humbles, donc refuser leurs présents équivaudrait à les vexer.

Mariam, aidée de Ramata et Bodiel, ses deux belles-sœurs, s'attela à la laborieuse tâche qui l'attendait.

Une vingtaine de béliers seraient égorgés, il fallait donc les préparer. Bodiel parvint à réunir certaines de ses amies, et quelques dépeceurs qui répartiraient équitablement les quartiers de viande à mariner et à faire cuire. La véranda, la terrasse et la devanture de la maison seraient aménagées de façon à pouvoir recevoir, convenablement, les innombrables invités qui se presseraient dans les lieux.

Sakina, de son côté, aidée de Salamata et Bousso, se mit en quête de tissus pour confectionner les tenues qu'elle mettrait. Son choix se porta sur une fine étoffe de soie ivoire rebrodée de perles dorées, qui servirait à l'habiller durant la matinée. Une robe toute en fluides lui fut cousue à cet effet. Pour la deuxième tenue, elle opta pour un tissu basin jaune qui irait harmonieusement avec son teint d'albâtre… Sa mère lui donnerait les parures qui égaieraient merveilleusement ses tenues, à coup sûr.

Le jour du mariage, sa coiffeuse habituelle, Yaay, vint aux aurores lui confectionner un élégant chignon et la maquiller légèrement. Sakina était resplendissante et irradiait de bonheur. Sa mère ne put retenir ses larmes quand elle la vit. Cet enfant tant voulu, tant chéri, tant couvé, était à présent une élégante jeune femme qui s'apprêtait à entrer dans les liens sacrés du mariage. Mère et fille s'étreignirent longuement, la force de leur amour transparaissant dans leur accolade.

Comme le voulait la tradition, Sakina fut installée sur le lit de sa mère où, la tête recouverte d'un pagne, elle devait demeurer pendant que son union avec Ousmane était scellée selon les rites musulmans.

Près de deux tours d'horloge plus tard, Amadou Bâ et Mamoudou Wane prirent la tête du cortège d'hommes qui s'étaient réunis à la mosquée. C'était officiel : Ousmane et Sakina étaient mari et femme ! Leur union était reconnue par Dieu et les hommes. Tout le monde voulait congratuler Sakina, la couvrir de bénédictions, l'embrasser. On pouvait entendre partout sur son sillage « *Jombadjo âri* ! *Jombadjo âri* ! »*

La belle mariée était resplendissante.

Bousso et Salamata sur son sillage en leur qualité de demoiselles d'honneur, Sakina embrassait par ici, serrait des mains par là et souriait à qui mieux mieux ; mais elle ressentait une extrême fatigue et brûlait d'envie de retrouver son désormais époux, Ousmane. Pour conjurer le mauvais sort, les deux conjoints ne devaient pas se voir avant la fin de la cérémonie. Il en fut ainsi jusqu'au soir où Ousmane parut, enfin, dans la demeure des Bâ.

Ramata, en tant que grande sœur du père de Sakina, se chargerait d'exhiber le drap blanc taché de sang, preuve irréfutable de la virginité de sa nièce.

Ce fut chose faite. Mariam, le cœur gonflé de fierté, formula des prières pour l'entière réussite de l'union de sa fille avec l'homme qu'elle avait choisi. Ce mariage, songea-t-elle intérieurement, démarrait sous les meilleurs auspices.

Elle ne connaissait pas très bien Ousmane, mais malgré ses réticences antérieures, il paraissait être quelqu'un de bien. Leur prochaine cohabitation à Paris serait l'occasion de nouer des relations plus étroites. De plus, ses parents étaient de braves et honnêtes gens et sa Sakina chérie était heureuse.

Que demander de plus ?

Chapitre 13

Lune de miel ou lune de fiel ?

La cérémonie religieuse terminée, les deux tourte-reaux purent enfin disposer de quelques moments d'intimité. En guise de lune de miel, Amadou et Mariam leur avaient offert un séjour d'une semaine au *Tawfékh**, un complexe hôtelier fort prisé du Sud du Sénégal.

Ousmane, dont la joie n'avait d'égale que la cupidité, se mit à protester devant tant de générosité. Ses beaux-parents balayèrent ses protestations d'un revers de la main, tant il leur semblait normal, et surtout naturel, de gâter le couple de jeunes mariés.

Une suite remarquable les attendait au Tawfékh. Ousmane cligna des yeux devant le luxe insolent ainsi étalé, tant cette opulence lui paraissait invraisemblable. Dès les heures qui avaient suivi leur arrivée à l'hôtel, Ousmane changea d'attitude. Dans son entendement, les choses n'étaient plus les mêmes : il était désormais l'époux de Sakina, et non plus son simple soupirant, ce qui équivalait à asseoir son entière domination sur la jeune fille.

Avant leur départ, il avait bien vu que Sakina et sa mère s'étaient longuement éclipsées dans la chambre de cette dernière. Il en déduisit que la mère avait remis une somme d'argent conséquente à la fille. Quand Sakina lui confirma cela, il voulut tout de suite entrer en possession de ces deniers pour, disait-il, « le gérer comme il le fallait et couvrir leurs menues dépenses ». En réalité, il voulait en ponctionner une large partie, qu'il garderait pour son usage personnel, et utiliser le reste pour leur séjour. Et c'est ce qu'il fit, sans arrière-pensée ni remords. « Mes beaux-parents ont les moyens, alors pourquoi m'en priver ? » se répétait-il avidement.

Maintenant que Sakina était devenue sienne, Ousmane révélait son vrai visage de despote narcissique et colérique. Il décidait de tout : l'endroit où ils devaient aller manger, les excursions qu'ils devaient effectuer ou pas, et même les heures de lever et de coucher ! Il ne souffrait aucune contestation et exigeait de Sakina qu'elle lui obéisse sans broncher. Celle-ci, aveuglée par l'amour, disait oui à tout, approuvait toutes les décisions d'Ousmane, et n'osait pas s'opposer à lui.

Toute à ses rêves de félicité éternelle, elle ne se rendait pas compte qu'elle se muait peu à peu en potiche malléable à l'envi, correspondant ainsi à l'idée qu'Ousmane se faisait d'une femme.

Peu avant leur retour à Dakar, Ousmane se mit à presser Sakina de questions sur le déroulement de la procédure d'obtention de son visa. N'appréciant pas qu'elle voulût en parler d'abord à son père dès que possible, il entra dans une rage folle et se mit à injurier Sakina, la sommant d'accélérer les démarches pour le visa, avant son retour en France. Sakina, apeurée, promit de s'en occuper rapidement. Elle mettait la colère de son époux au compte de son impatience à aller s'installer à Paris, à ses côtés. Ils avaient vécu une année de séparation, et il était hors de question de recommencer ! Elle trouvait toutes sortes d'excuses, à Ousmane, et pensait que son emportement était dû à sa lenteur à elle.

Comme elle l'avait promis, dès leur retour à Dakar, Sakina s'entretint avec son père de la procédure de visa pour Ousmane. Quoique surpris que tout aille aussi vite, Amadou Bâ contint son étonnement et chargea sa fille d'aller se renseigner sur les formalités administratives qui seraient nécessaires pour le visa d'Ousmane. Les deux époux se rendirent donc au Consulat de France sis à la rue Mamadou Dia, à quelques encablures du centre administratif de la capitale.

Bien que les parents de Sakina soient des résidents français, établis dans l'Hexagone depuis des décennies, bénéficiant de la nationalité française, ainsi que leur fille, il leur fut demandé un amas de justificatifs de toutes sortes.

Pestant contre les autorités consulaires, qui leur en demandaient beaucoup, Sakina et ses parents n'eurent d'autre choix que de rassembler les documents demandés et nécessaires au regroupement familial. Ils voulaient mettre toutes les chances de leur côté, de façon à ce que son époux Ousmane puisse les rejoindre à Paris, quelque temps après leur retour. Les quelques autres papiers qui manquaient, à savoir les titres de propriété et les autres justificatifs de domicile seraient envoyés par courrier, dès qu'ils seraient rentrés.

Ousmane ne tenait plus en place. Il était dans un tel état d'anxiété et d'énervement qu'il n'en dormait plus et n'arrivait plus à avaler le moindre aliment. Il harcelait Sakina, la sommant de ne pas occulter le fait qu'il désirait partir au plus vite.

Sakina supportait ses remontrances, mais elle brûlait d'envie de répondre à son cher et tendre que l'obtention d'un visa n'était pas seulement la résultante de papiers en règle, mais était soumise au bon vouloir des autorités consulaires. Mais, concernant le dossier de Ousmane, il n'y avait aucun risque pour qu'il ne l'obtienne pas. Les parents de Sakina présentaient toutes les garanties : ils avaient largement de quoi assurer gîte et couvert à leur gendre.

Ousmane aurait normalement dû être rassuré, car aucune entrave ne se dressait sur sa route vers Paris, sa ville de cœur. À Abdoulaye qui le sommait de faire preuve de patience, il répondait invariablement « Boy, tu n'es qu'un jaloux, plus vite mon départ sera effectif, mieux je me porterai. » Abdoulaye hochait tristement la tête, contemplant son ami qu'il ne reconnaissait décidément plus.

Tout comme il avait voulu effacer son passé de villageois en débarquant à Dakar des années auparavant, Ousmane aspirait à vivre une nouvelle vie à Paris.

Le destin, qui avait été si cruel avec lui en le privant de quantités de choses, existentielles à son avis, semblait se rattraper en le gratifiant de cette fantastique opportunité.

Et il comptait en profiter au maximum !

Chapitre 14

Une nouvelle vie

Sakina et ses parents quittèrent Dakar, pour Paris, un soir de la mi-août 1981. Peu avant leur départ, Ousmane avait été rassuré quant au prompt envoi des documents qui manquaient à son visa, comme justificatif pour rejoindre la famille Bâ au plus vite.

Dès son arrivée en France, Amadou réunit lesdits documents dont son gendre aurait besoin et les expédia sous pli recommandé. À leur grande joie, Ousmane leur envoya un télégramme une dizaine de jours plus tard, les informant de l'obtention de son visa. La somme nécessaire à l'achat de son billet lui fut expédiée dare-dare.

Ousmane acquit son billet, ainsi qu'un complet veston flambant neuf qu'il étrennerait le jour de son voyage. Quant à son ancienne garde-robe, composée de chemises, cravates et costumes de toutes les coupes et couleurs imaginables, il en fit gracieusement don à son fidèle ami, Abdoulaye. Celui-ci, ayant toujours admiré l'élégance d'Ousmane, n'en revenait pas. Et c'est la mort dans l'âme qu'il l'accompagna à l'aérogare où le vol à destination de Paris était programmé à 7 h du matin.

Ousmane n'avait qu'une seule valise comme bagage, s'étant délesté de toutes les affaires qu'il possédait auparavant. À ses parents qui avaient voulu faire le déplacement, il les avait gentiment mais fermement dissuadés de venir lui dire au revoir pour, disait-il, « éviter les larmes qu'il ne pourrait contenir » ; mais en réalité, il ne désirait pas les voir… Ceux-ci ne recevraient presque plus de nouvelles de leur fils, mais ça, ils ne le savaient pas encore. Tout comme Abdoulaye, à qui Ousmane avait promis d'écrire aussi souvent que possible… Il n'entendrait plus jamais parler d'Ousmane, celui-ci étant occupé à profiter de son nouveau standing de vie.

Il atterrit à Paris au bout de huit heures d'un vol qui lui avait semblé interminable, pressé qu'il était d'atterrir. Quand il arriva, il se mit à attendre que sa valise apparaisse sur le tapis roulant, tout en regardant autour de lui d'un air émerveillé. « Ah Paris ! Que j'aime Paris ! », se disait-il intérieurement. Il notait mentalement chaque détail : du tapis roulant sur lequel s'entassaient les valises, à l'escalator qui serpentait tout le long de l'aérogare, mais aussi la machine qui proposait rafraîchissements et friandises… Toutes ces choses qu'il avait longtemps admirées dans ses magazines, il les voyait enfin !

Il était aux anges. Se dirigeant vers la sortie comme le lui avait recommandé Sakina, il la trouva qui l'attendait en compagnie d'un homme qui devait être Samba Diouldé, l'assistant de son père. « Ils auraient quand même pu posséder une berline de luxe au lieu de cette vieille guimbarde ! », ne put-il s'empêcher de penser à la vue de la voiture que conduisait Samba Diouldé. Sa femme l'étreignit amoureusement et fit les présentations. Ousmane, d'un signe de tête, salua et s'installa nonchalamment à l'arrière du véhicule.

L'immeuble devant lequel ils s'arrêtèrent correspondait plus à ses attentes... L'appartement de la famille Bâ encore plus... Grand, lumineux, richement meublé, les lieux enchantèrent Ousmane au plus haut point. Après une visite rapide, il fut conduit, toujours sous l'égide de Sakina, à la boutique de ses parents, « Little Sénégal ». Ce n'est qu'à 16 h qu'il put enfin pénétrer chez lui, à savoir le deux-pièces que Sakina et ses parents avaient meublé pour le jeune couple.

Dès leur retour, ceux-ci n'avaient pas perdu de temps et s'étaient mis en quête de meubles pour les deux nouveaux mariés. Ce n'était pas le grand luxe, mais le logement était meublé avec goût.

Ousmane ne pourrait pas encore se reposer, car une réception était donnée en son honneur, à l'occasion de sa venue, par Amadou et Mariam. Tous leurs amis et sympathisants qui n'avaient pas pu faire le déplacement à Dakar, lors de la célébration du mariage pourraient faire la connaissance d'Ousmane. Ils s'extasièrent tous sur le merveilleux couple qu'il formait avec Sakina et ils reçurent des bénédictions pour la réussite de leur union.

Le lendemain, une visite guidée de Paris attendait Ousmane. Il s'éveilla tout guilleret, ne pouvant réaliser que son rêve s'était réalisé. Sakina l'emmena dans les grandes artères de Paris : Montmartre, le Sacré-Cœur, le Quartier Latin, la Tour Eiffel, les Champs-Élysées, les berges de la Seine, le Trocadéro, le Château de Versailles.

Ousmane, tel un enfant s'émerveillant devant un nouveau jouet, ouvrait de grands yeux enchantés. Ce qu'il apprécia, par-dessus tout, ce furent les séances de shopping qui s'ensuivirent. Dans le souci manifeste de lui faire plaisir, Sakina le laissa choisir une pléthore de costumes, cravates, chaussures et autres vêtements masculins. La jeune fille, quand il s'agissait d'Ousmane, n'avait aucune limite. Elle écrivit une longue lettre à Bousso et à Salamata, leur décrivant le bonheur total qu'elle vivait avec son cher mari. Celles-ci, soulagées et heureuses pour leur cousine, en furent doublement ravies.

Les journées de Sakina se partageaient entre ses cours et la maison, où sitôt rentrée, elle devait préparer le repas, passer l'aspirateur et ranger les affaires éparses qu'Ousmane laissait traîner partout. Celui-ci ne faisait aucun effort pour soulager la fatigue de sa femme, qui rentrait exténuée de sa longue journée. Elle n'avait même plus le temps d'aller voir ses parents qui, bien qu'inquiets de la façon de vivre de leur fille, n'en laissaient rien paraître.

Mais rapidement, il fallut se rendre à l'évidence : Sakina ne pouvait continuer d'allier vie estudiantine et vie maritale. C'est quand elle alla voir ses parents un dimanche, la mine défaite et tenant à peine sur ses jambes, qu'ils comprirent l'état d'extrême fatigue dans lequel elle se trouvait. Aussi sa décision de stopper ses cours ne les surprit guère. Avec force arguments, Sakina entreprit d'expliquer à ses parents qu'elle n'arrivait plus à juguler ses nombreuses obligations. Sa mère, interloquée, l'entendit raconter ses journées cauchemardesques et ne put s'empêcher de lui dire : « Et ton mari ? Il pourrait t'aider au moins ! »

Il n'en fallut pas plus à Sakina pour sortir de ses gonds.

– Laisse-lui au moins le temps de s'adapter à sa nouvelle vie ! Tout ceci est si soudain pour lui ! La vie au Sénégal est différente de celle d'ici. Tu le sais pertinemment !

– Je n'ai rien à exiger d'Ousmane, mais j'estime qu'il devrait aider sa femme un tant soit peu... C'est tout ce que j'ai dit !

Une discussion houleuse s'ensuivit, où mère et fille, une fois n'est pas coutume, eurent des avis divergents. Mariam voulait bien comprendre qu'Ousmane venait d'arriver en France et qu'il lui fallait un certain temps d'adaptation ; mais elle ne pouvait concevoir qu'il restât les bras croisés pendant que Sakina cumulait tout.

Son père, la mort dans l'âme, dut accepter que sa fille arrête ses études. N'ayant pas été à l'école, de même que sa femme, l'instruction de Sakina avait toujours été au centre de ses préoccupations. C'est pourquoi il l'avait inscrite dans les meilleurs établissements existants à Paris. En cette fin du 20e siècle, l'on prônait vivement l'éducation des filles, l'encourageait, car une fille ayant un solide bagage intellectuel était plus à même de mener une existence paisible.

Amadou voulait que sa fille fasse de brillantes études et fasse partie de ces femmes africaines, leaders et porteuses de voix. Ayant acquis des connaissances, sa fille ne renoncerait pas pour autant à sa culture africaine qui était fondamentale ; elle allierait tradition et modernité pour des lendemains meilleurs.

Sakina travaillerait donc à la boutique de ses parents, en tant que co-gérante avec Samba Diouldé, et traiterait toutes les questions d'administration. Amadou et Mariam, puisque leur fille prenait le relais, inter-viendraient de moins en moins, et se limiteraient aux tâches d'approvisionnement. Il fut proposé à Ousmane de venir seconder sa femme, ce qu'il déclina, prétex-tant avoir d'autres pistes. Argument faux, bien entendu, étant donné qu'il n'avait déposé aucune demande d'emploi, nulle part.

Chapitre 15

Le masque tombe

Ousmane allait rarement rendre visite à ses beaux-parents. À chaque fois que Sakina s'y rendait, il s'inventait quantité d'activités de dernière minute pour ne pas l'accompagner. Sakina en souffrait énormément, mais n'osait faire aucune remarque à Ousmane. Voir ses parents et son mari cohabiter en parfaite entente était l'un de ses vœux les plus chers et cette situation ne lui plaisait guère.

Mais qu'y pouvait-elle ?

Elle vivait dans la peur constante des coups de colère d'Ousmane, qui s'emportait pour un rien. Elle préférait de loin subir l'attitude ouvertement réprobatrice de ses parents qui lui rappelaient, à la moindre occasion, le comportement irrespectueux de son mari ; et fait qui les horripilait au plus haut point, depuis bientôt une année qu'il résidait en France, il n'avait toujours pas trouvé d'emploi. La vérité était qu'Ousmane, si tant est qu'il ait jamais cherché du travail, vivait aux crochets de Sakina et de sa famille. Il ne se gênait pas pour demander de fortes sommes d'argent à Sakina, qui lui en donnait chaque fois plus que de raison.

Passée la période d'acclimatation, Ousmane avait repris les vieilles habitudes qu'il avait à Dakar. Il connaissait désormais Paris et sa banlieue comme sa poche, ainsi que tous les bars et bistrots où il s'asseyait des journées entières et dépensait impunément, l'argent que Sakina lui offrait en alcool et liqueurs de toutes sortes. Il allait même jusqu'à offrir des tournées à tous ceux qu'il trouvait dans les bars, de telle sorte qu'il avait fini par acquérir une solide réputation de fêtard dans les débits de boisson de Paris. À tel point qu'on l'avait affublé du sobriquet hautement révélateur de « Ousmane le Généreux ». Et le soir venu, il s'en retournait chez lui, passablement éméché et les poches vides.

La première fois que Sakina le découvrit plongé dans un sommeil profond, elle crut qu'il avait eu un malaise et s'accroupit pour essayer de le relever. Quand elle sentit l'odeur âcre du whisky qu'Ousmane dégageait, elle sut qu'il avait abondamment bu. Le mettant laborieusement sur ses pieds, elle l'installa sur le canapé du salon et lui donna de l'eau à boire. Ayant ingurgité une forte dose d'alcool, Ousmane s'endormit jusqu'à une heure assez avancée de la nuit. À son réveil, il se confondit en excuses et promit qu'on ne l'y reprendrait plus.

Non seulement il recommença le jour d'après, mais aussi les jours qui s'ensuivirent... Il en fit son rituel quotidien. Chaque après-midi, Ousmane, sapé comme un prince, faisait le tour des bistrots. Pendant que Sakina travaillait durement à la gestion de la boutique de ses parents, Ousmane, lui, profitait de la vie parisienne. À son retour, Sakina le trouvait affalé de tout son long, ronflant bruyamment. Elle endurait cette situation, mais au fond d'elle-même, en souffrait énormément. Elle n'avait personne à qui confier son désarroi :

ses parents mettraient tout de suite fin à leur mariage, car apprendre qu'Ousmane buvait leur serait inacceptable ! Bousso et Salamata, croyant que tout allait bien, accueilleraient cette information avec surprise et rappelleraient à leur cousine leurs mises en garde antérieures. Sakina n'avait plus d'autre choix que d'en parler directement avec Ousmane lui-même. Prenant son courage à deux mains, elle tenta d'amener le sujet un soir où Ousmane était rentré miraculeusement sobre.

Avant qu'elle ait pu terminer sa phrase, Ousmane lui assena une gifle monumentale et entreprit de la rouer de coups. Malgré les cris stridents qu'elle poussait, il n'arrêta pas pour autant de la frapper.

Le lendemain, quand Samba Diouldé vit le visage sanguinolent et tuméfié de Sakina, il en informa sa mère, qui accourut prestement.

Quand Mariam découvrit l'état dans lequel se trouvait sa fille, elle appela son mari qui entra dans une rage folle. Ses parents voulaient déposer une plainte, car pour eux, il était inconcevable que l'on touche à leur fille. Sakina avait beau leur expliquer qu'Ousmane et elle avaient eu une petite querelle, ils insistaient pour aller à la police.

Sakina, avec force suppliques et larmes, parvint à convaincre son père de parler à Ousmane, ce qu'il accepta à contrecœur. Il tança vertement son gendre et le menaça d'aller le dénoncer aux autorités, si jamais il s'avisait de recommencer. Celui-ci, vexé qu'on lui ait intimé comment se conduire, fût-ce par son beau-père, déversa toute sa colère sur sa femme, à l'issue de son entrevue avec le vieil Amadou. Sakina, atterrée, ne se plaindra plus jamais par la suite des violences que lui fera subir Ousmane, et continuera de tout endurer en silence, au nom de l'amour...

Chapitre 16

Un rayon de lumière

De plus en plus souvent, Sakina se sentait indisposée, ressentant de fortes douleurs aux côtes et au dos, et par deux fois déjà, avait rendu son déjeuner. Pensant avoir inoculé un germe, elle n'en parla à personne. Mais les cachets qu'elle prit n'atténuèrent en rien ses douleurs ; au contraire, celles-ci reprirent et de plus, elle se sentait tout le temps ballonnée.

Quand elle fit part à sa mère de ces étranges douleurs, celle-ci la prit dans ses bras et lui dit d'une voix enrouée : « Sakina *âm**, tu es enceinte ! *Alhamdoulilahi* ! » Sakina n'en crut pas ses oreilles. Elle, enceinte ? Et de trois semaines, si elle se fiait aux estimations de sa mère. Le test qu'elle acheta par la suite vint confirmer ce que Mariam avait déjà dit.

Sakina était heureuse. Cette grossesse venait à point nommé, car dans son esprit, celle-ci resserrerait les liens déjà fort distendus entre Ousmane et elle. Les disputes étaient incessantes, Ousmane dépensait sans retenue et continuait à se comporter de cette façon si irresponsable qui lui était coutumière.

Cet enfant qui annonçait sa venue serait le prétexte à une réunification, autant entre Ousmane et elle, qu'avec ses parents.

La grossesse de Sakina se passait sans encombre. Son temps se partageait entre ses visites prénatales et son travail à la boutique où elle se rendait de moins en moins, à cause de la grande fatigue que lui donnaient les allers et venues incessants qu'elle effectuait dans le magasin.

Ousmane, passée la période euphorique du début lorsque Sakina lui avait annoncé l'heureuse nouvelle, s'en était totalement désintéressé. Il n'aimait pas les enfants, et il ne comprenait guère l'état de surexcitation extrême dans lequel sa femme se trouvait… Du moment que cela ne l'empêchait pas de poursuivre ses activités, Sakina pouvait faire ce qu'elle voulait ! Celle-ci souffrait qu'Ousmane ne se préoccupe pas outre mesure de cet enfant qui poussait en elle, ou encore ne l'accompagne à ses visites chez l'obstétricienne… Mais elle pensait que c'était sa façon à lui d'exprimer sa joie de futur père… Comme de coutume, face aux réactions inattendues de son mari, elle lui trouvait des excuses et le défendait avec la dernière énergie.

Dans la dernière semaine précédant son terme, conformément à ses souhaits, Sakina emménagea chez ses parents. Elle avait souhaité s'installer chez eux avant son accouchement, car elle était sûre que l'un ou l'autre de ses parents pourrait l'accompagner à la maternité et l'assister lorsque le travail aurait commencé. Ceux-ci, quoique heureux d'être aux côtés de leur fille lors de ces moments, désapprouvaient fortement l'attitude peu mature de son époux. De plus, Samba Diouldé leur avait confié avoir surpris Ousmane à la sortie d'un bistrot plus d'une fois !

C'en était trop !

Ils attendaient que Sakina ait accouché en paix pour poser un ultimatum à Ousmane : soit il changeait d'attitude, soit son mariage avec Sakina prenait fin ! Amadou regrettait amèrement d'avoir accordé la main de Sakina à Ousmane… Il s'était fait duper par le jeune homme qui révélait maintenant son vrai visage. Mais pour l'heure, le bien-être de Sakina passait avant tout.

Aïssata, un beau et vigoureux bébé de 3,7 kilogrammes vit le jour à la Clinique Internationale de l'Unité le 3 janvier 1983.

Informé de la nouvelle, Ousmane n'apparut sur les lieux que trois heures plus tard, pour embrasser sans élan sa femme et sa fille. Sakina n'avait guère souffert durant son accouchement, qui s'était déroulé en une heure à peine. Elle tenait sa fille dans ses bras, la mine lasse et le regard perdu au loin. Tout le monde s'extasiait sur les grands yeux du bébé, son teint éclatant, sa petite bouche mutine et son calme, car la petite fille n'avait poussé que quelques vagissements depuis sa naissance.

Cela se voyait que Sakina se sentait mal. Ce moment magique tant attendu, et qui la comblait certes, ne se réalisait pas comme elle l'avait escompté. Ousmane avait à peine regardé sa fille et, sitôt arrivé, s'en était retourné vaquer à ses occupations. Elle souffrait de ce manque d'attention que lui manifestait son mari, une fois encore…

« Je me battrai », se dit-elle.

« Je me battrai pour que ma fille grandisse dans un foyer équilibré. J'aime Ousmane, et je sais que lui aussi, malgré ses travers… J'ai sacrifié quantité de choses pour ce mariage, alors je ne le laisserai pas aller à vau-l'eau ! »

Le bébé reçut le prénom d'Aïssata Mariam Wane, une semaine après sa venue au monde. Ousmane n'ayant pas proposé de prénom, Amadou donna à sa petite-fille ceux de sa femme et de sa mère à lui.

Peu après la cérémonie de baptême, Sakina voulut réintégrer le domicile conjugal, mais sa mère lui opposa un refus catégorique. Elle voulait la garder auprès d'elle, pour lui prodiguer des soins post-accouchement qui consistaient à masser le corps de la jeune accouchée, ainsi que celui du nouveau-né, avec du beurre de karité, ce qui leur donnerait à toutes deux force et vitalité. En réalité, Mariam voulait garder sa fille auprès d'elle encore un petit moment pour lui éviter de trop souffrir au contact de son mari. Car les changements d'humeur incessants de Sakina n'avaient pas échappé à son œil avisé. À chaque fois qu'Ousmane venait leur rendre visite, Sakina était fort guillerette. Mais sitôt son mari parti, elle s'enfermait dans un mutisme profond. De plus, les visites hebdomadaires de son époux étaient fort brèves. Il jouait un petit moment avec sa fille, tout en discutant par monosyllabes avec sa femme, prenant de ses nouvelles, comme s'il s'adressait à une parfaite étrangère.

Sakina reportait tout son mal-être sur sa fille, qu'elle appelait affectueusement son « rayon de lumière ». Et ce, à juste titre, car la fillette était son portrait craché : mêmes traits délicats, même ossature fine, même chevelure de jais… À presque six mois, Aïssata en paraissait bien plus, tant elle grandissait et se développait rapidement. Sa mère, qui n'avait toujours pas repris le travail, lui consacrait ses journées... Elle prenait un plaisir non dissimulé à lui donner le bain, à la langer, la nourrir et la promener. Installée à califourchon, sur le dos de sa mère, la petite fille suscitait l'admiration des passants, qui s'arrêtaient pour la cajoler et admirer son joli minois.

N'y tenant plus, Sakina finit par rentrer chez elle, car elle voulait reprendre sa vie conjugale avec Ousmane.

Son mari semblait visiblement ravi du retour de sa petite famille. Son attitude, en tout cas, le démontrait : il était moins adepte des sorties, de jour comme de nuit ; il couvrait son épouse et sa fille de toutes sortes d'attentions. S'efforçant d'être un bon père, il tentait visiblement de rattraper le temps perdu depuis la naissance d'Aïssata... Il se levait même la nuit pour la border lorsqu'elle s'éveillait. Sakina rayonnait et remerciait le Ciel du changement de comportement notoire d'Ousmane.

Mais celui-ci avait bien d'autres desseins ; cette façade qu'il s'efforçait d'entretenir, jour après jour, laisserait bientôt la place à une autre, bien plus sombre celle-là !

Car le pire était à venir...

Chapitre 17

Descente aux enfers

Sakina retrouvait le vrai Ousmane qui l'avait séduite à Dakar, le jeune homme si avenant, affable et perpétuellement à son écoute. Ousmane avait grandement réduit ses sorties et se proposait même pour garder Aïssata, quand sa femme travaillait à la boutique de ses parents. Devant son insistance, Mariam s'était résolue à lui laisser la petite fille quelques jours dans la semaine, car elle s'était initialement confortée dans son rôle de garde d'enfant.

Amadou et Mariam voyaient d'un bon œil le changement d'attitude de leur gendre. Ils en étaient même arrivés à lui pardonner son inactivité ; car du moment qu'il s'occupait de sa petite famille, tout pouvait passer.

Sakina était radieuse comme jamais elle ne l'avait été depuis son mariage. N'ayant pas totalement perdu ses kilos post-accouchement, sa silhouette légèrement arrondie lui allait à merveille et le bonheur qu'elle ressentait se reflétait sur son visage qui irradiait en toute circonstance. Même ses rapports avec autrui s'en trouvaient grandement améliorés. De plus, le temps qu'elle consacrait à son travail de gérance à la boutique « Little Sénégal » ne la fatiguait plus comme au tout début, elle servait les clients avec bonhomie et

155

s'occupait de tout ce qui la rebutait auparavant, avec ardeur…

Et rien ne lui plaisait tant que de rentrer chez elle le soir retrouver Ousmane et leur petite Aïssata. Le tableau idyllique qui s'offrait à ses yeux émus la confortait dans la conviction que les quelques moments d'incertitude et de souffrance vécus récemment en valaient largement la peine.

De son œil scrutateur, Ousmane, comme tout un chacun, avait bien remarqué l'attitude qu'affichait Sakina. Le moment était venu, songeait-il, d'abattre ses dernières cartes destructrices.

Après mûre réflexion, il était arrivé à la conclusion qu'il ne voulait plus de ce mariage, qui l'étouffait plus qu'autre chose. Ce style de vie, bien que confortable, l'ennuyait profondément et lui faisait regretter sa vie d'antan.

Avait-il jamais aimé Sakina ? À cette question, Ousmane ne pouvait répondre. Quand il avait fait la connaissance de sa femme, il avait certes été envoûté par sa grande beauté, sa douceur, sa candeur, l'avait trouvée attachante à bien des égards, et avait confondu cet attrait pour de l'amour. Avec le recul et quelques années de vie commune, il se rendait compte qu'il n'éprouvait aucune once d'amour pour Sakina !

En parlant d'amour, le gazouillis que produisit sa fille le ramena à la réalité.

Ah Aïssata !

S'il y avait bien une chose qui échappait entièrement à son contrôle et qu'il ne pouvait expliquer, c'était la bouffée de tendresse incommensurable qui l'assaillait lorsqu'il posait les yeux sur sa fille. Cet enfant dont la naissance l'avait laissé extrêmement indifférent constituait à présent sa seule joie de vivre dans cet univers monotone. L'idée de quitter sa femme faisait de plus en plus son chemin dans son esprit tortueux. Mais si jamais il s'en allait, non seulement il emmènerait sa fille, mais dépouillerait Sakina jusqu'au dernier centime et la laisserait dans le plus complet dénuement ! Il n'était nullement question de laisser sa fille aux mains de cette famille archaïque ; et il leur prendrait, de surcroît, beaucoup d'argent qui lui permettrait de refaire sa vie loin d'eux !

Telles étaient les sombres pensées qui agitaient Ousmane. Pour tenir entièrement Sakina à sa merci, Ousmane songeait à passer à la phase cruciale du plan qu'il avait si savamment élaboré.

L'une des premières étapes consistait à initier Sakina à la consommation de l'eau de feu, de façon à en faire une fidèle disciple de Bacchus et à annihiler en elle toute forme de résistance. En faisait boire la jeune femme, il endormirait sa méfiance et pourrait lui dérober de fortes sommes d'argent pour se mettre en sécurité, ayant lui-même arrêté de consommer de l'alcool, car cela l'hébétait et les signes de son addiction commençaient à être visibles. Mais, il comptait bien y initier sa chère épouse.

Cela commença par des insinuations insidieuses… Les journées du couple étaient toujours les mêmes : Sakina allait travailler le matin à la boutique de ses parents et rentrait le soir retrouver Ousmane et leur fille.

Le dîner préparé, ils s'installaient tous trois devant le poste téléviseur à écran couleur de marque Optimus qu'Amadou et Mariam leur avaient offert comme cadeau de mariage, lors de leur installation. Lorsqu'ils ne passaient pas la soirée à regarder les émissions de jeux ou de variété qui passaient sur la chaîne locale, ils allumaient la radio pour écouter les nouvelles du monde.

Ousmane étouffait de rage et de lassitude devant cette vie insipide.

Peu à peu, il commença à se plaindre tout haut de leur manque d'activités en tant que couple. Un vendredi où Sakina était rentrée exceptionnellement tôt, il lui avait suggéré qu'ils confient Aïssata à ses grands-parents pour le week-end et qu'ils aient du temps pour eux. Sakina accepta avec empressement, ravie que son mari veuille passer du temps avec elle !

Le samedi soir donc, Ousmane et Sakina, tendrement enlacés, poussèrent la porte du Memphis, l'une des discothèques les plus en vue, du Paris des années 1980.

Une bonne table leur fut attribuée. Sans tarder, Ousmane commanda une bouteille de champagne et une autre de whisky. Devant l'étonnement de Sakina qui ne put s'empêcher de risquer un timide « Mais je pensais que tu avais arrêté ? », Ousmane répondit que c'était juste pour la soirée. Après un bref moment d'hésitation, Sakina accepta d'une main tremblante le verre que lui tendait son époux. « Après tout, c'est uniquement pour ce soir ! », se dit-elle.

Sa conscience de mère, femme et fille de musulmans, l'état dans lequel plongeait l'alcool, et les ravages que ce breuvage destructeur faisait autour d'elle constituaient autant de raisons pour ne pas en consommer ; mais elle se limiterait à un seul verre... Et si cela pouvait faire plaisir à Ousmane, elle boirait un peu pour se détendre.

Le liquide brun qu'elle ingurgita lui piqua légèrement la gorge, et à mesure qu'il descendait dans son estomac, lui procura une bienfaisante chaleur. Voulant se limiter à un seul verre, Sakina vida les deux bouteilles... Ousmane lui remplissait son verre et l'encourageait à boire, encore, et encore par des baisers et des étreintes passionnés. Et elle buvait... Elle but tellement qu'à la fin de la soirée Ousmane dut la porter jusqu'au taxi qui les attendait devant le night-club.

Avant de partir, Ousmane prit soin d'acheter une autre bouteille de champagne, car en ancien buveur, il savait d'avance que Sakina en redemanderait !

Effectivement, elle en redemanda... Non seulement le lendemain de leur virée nocturne, mais les autres jours qui s'ensuivirent. Sakina ne pouvait désormais plus passer une journée sans boire.

Ses derniers remparts de résistance étaient annihilés par Ousmane, qui l'encourageait en lui répétant continuellement qu'il l'aimait et qu'il était fier d'elle, car elle se lâchait et vivait en femme moderne... « À quoi bon se priver ? » pensait la jeune femme. Son mari la chérissait, ne regardait aucune autre qu'elle, alors que pouvaient lui faire quelques malheureuses gouttes d'alcool ? Rien, absolument rien !

L'addiction de Sakina à l'eau de feu ne tarda pas à se voir...

Jusqu'ici, elle ne buvait que de petites quantités. Mais un lundi, elle arriva au magasin complètement ivre. Elle tenait à peine sur ses jambes et débitait des paroles incompréhensibles. Samba Diouldé se dépêcha de l'installer dans l'arrière-boutique, à l'abri de tout regard indiscret et courut alerter ses parents.

Ceux-ci, n'en croyant pas leurs oreilles, accoururent du plus vite qu'ils purent. Mariam, lorsqu'elle découvrit le spectacle de sa fille, plongée dans un état semi-comateux et dégageant une odeur nauséabonde, se mit à pleurer à chaudes larmes. Elle se mit à la presser de questions, voulant savoir quand et pourquoi elle s'adonnait à une si ignoble activité... Questions auxquelles Sakina ne répondit pas tout d'abord... Puis, émergeant lentement de l'apathie dans laquelle elle était plongée, elle se mit à abreuver d'injures ses parents. Les insanités pleuvaient et Sakina, frémissante de colère, hurlait et réclamait du whisky. Elle demandait encore sa précieuse boisson et déversait sa fureur sur tous ceux qui l'entouraient !

Ousmane fut appelé à la rescousse, car Amadou et Mariam peinaient à calmer Sakina. Ils pensaient qu'Ousmane y parviendrait. Ils étaient à mille lieues de se douter que celui-ci était entièrement responsable de la destruction de Sakina. Il arriva, la petite Aïssata dans ses bras et après de longs conciliabules, il parvint à persuader Sakina de rentrer avec lui. Il promit à ses beaux-parents de revenir les voir une fois leur fille endormie.

Une heure plus tard, il sonnait à la porte de ses beaux-parents. La tête basse, l'air profondément meurtri, il avoua son incapacité à gérer les déviances comportementales de sa femme... Devant Amadou et Mariam sidérés, il raconta que Sakina sortait tous les soirs, avec des personnes fort peu recommandables qui l'avaient initiée à l'alcool. Il avait tout tenté, disait-il, pour ramener son épouse sur la voie de la raison. Mais, elle ne l'écoutait pas. Il est resté parce qu'il tenait à elle, et qu'il voulait construire un avenir avec elle, mais il n'en pouvait plus de cette situation ! Il fallait prendre des mesures et sauver Sakina avant qu'elle ne se perde dans les méandres de l'alcoolisme.

Amadou et Mariam étaient choqués. Leur fille qui, quelques semaines auparavant, croquait la vie à belles dents, en épouse et mère accomplie, était à présent une alcoolique ! Il fallait agir et vite !

Il était évident que Sakina ne pouvait reprendre son activité professionnelle. Mariam retourna gérer la boutique, en compagnie de Samba Diouldé. Ousmane, pour sa part, veillerait sur Sakina, et l'empêcherait de sortir.

En réalité, il adopta une attitude contraire...

Il encouragea fortement sa femme à boire, lui donnant de grandes quantités d'alcool. Toutes formes de boissons y passèrent et, peu à peu, il y incorpora des alcools forts : rhum, gin, vodka, bourbon... Sakina, telle une passoire, absorbait tout ! Comme une épave, elle errait dans l'appartement, un verre dans la main, marmonnant des paroles incompréhensibles. Son reflet dans le miroir ne l'intéressait plus. À peine prenait-elle la peine de se doucher et de se vêtir. Et puis, elle était avec sa petite famille, que pouvait-il lui arriver ? Son mari, si aimant et attentionné, qui lui donnait tout ce dont elle avait besoin, elle ne l'échangerait contre rien au monde !

Pour compléter son entreprise de destruction, Ousmane avait pris grand soin de l'isoler de tout et de tout le monde. Il jetait, après les avoir parcourues, les lettres que lui envoyaient périodiquement Bousso et Salamata, qui s'alarmaient de ne recevoir aucune nouvelle de leur cousine. À ses parents qui venaient lui rendre visite, Ousmane répondait systématiquement que Sakina dormait et qu'elle se portait mieux. Ce qui était en partie vrai, car leur fille était si amorphe qu'elle ne pouvait esquisser le moindre mouvement et s'assoupissait jusque tard dans la journée.

Ousmane laissa passer quelques jours avant de faire irruption chez ses beaux-parents, l'œil larmoyant et la mine attristée. Avec force détails, il entreprit de leur narrer les ruses qu'employait leur fille pour sortir la nuit et ainsi déjouer sa surveillance constante.

Sakina courrait à sa perte s'ils ne l'aidaient pas, leur disait-il. Il invita Amadou et Mariam à l'accompagner à leur domicile, pour se rendre compte *de visu* de l'état de Sakina, et ensemble réfléchir à une solution…

« Ousmane avait dit vrai », pensèrent à l'unisson Amadou et Mariam en voyant leur fille. Sakina n'était plus que l'ombre d'elle-même : paupières gonflées, yeux rougis, chevelure hirsute, fortement amaigrie, elle faisait peine à voir !

Sur injonction d'Ousmane, il fut décidé qu'il serait bénéfique pour Sakina qu'elle aille se ressourcer et surtout se désintoxiquer à Dakar. Amadou et Mariam dirent oui à tout ce que leur suggéra Ousmane, car rien ne leur importait plus que le bien-être de leur fille unique.

Amadou acheta expressément les billets d'avion pour Sakina, Ousmane et leur petite fille Aïssata… En sus de cela, il remit à Ousmane une forte somme d'argent destinée à couvrir leurs menus besoins pour l'année qu'ils passeraient au Sénégal. Ousmane était aussi porteur d'une lettre destinée à Thierno Amadou, où tout lui était expliqué, pour qu'il ne fût pas surpris de l'état de sa nièce. Il devait mettre à la disposition du jeune couple l'un des nombreux appartements que possédait Amadou dans le quartier des affaires de la capitale sénégalaise, de façon à ce qu'ils soient au calme.

Mariam, en pleurs, serra dans ses bras une Sakina à moitié endormie et embrassa avec effusion sa petite-fille. Amadou, plus sobre, mais non moins meurtri, pria pour que Sakina recouvrât complètement ses esprits et en profita pour rappeler à Ousmane la lourdeur de la tâche qui lui incombait désormais.

Amadou et Mariam ne revirent plus jamais leur chère fille, de même qu'Ousmane…

Malgré leurs recherches incessantes, ils ne retrouvè-rent jamais Ousmane, qui semblait s'être fondu dans la nature. Le vieil Amadou s'éteignit des suites d'une longue maladie aggravée par la disparition de Sakina. Mariam s'en remit au Tout-Puissant, Lui qui avait décidé de lui retirer tour à tour sa fille, sa petite-fille et son mari.

Épilogue

Sitôt arrivé à Dakar, Ousmane s'empressa de remettre à Thierno Amadou la lettre que lui avait envoyée son frère Amadou.

Confortablement installé dans l'appartement que leur avait gracieusement prêté son beau-père, il mit moins d'une semaine à abandonner Sakina à son triste sort.

Ses cousines Bousso et Salamata, ainsi que leur mère Bodiel et Thierno Amadou, ne virent Sakina que deux fois depuis sa réinstallation à Dakar. Leur chagrin fut immense, et fut à la mesure de l'amour infini qu'ils portaient tous à leur cousine et nièce.

Ayant réservé deux places pour une destination dont lui seul avait le secret, il s'éloigna par un matin brumeux dans la pénombre du jour naissant. Sa fille dans ses bras, avec pour seul bagage un minuscule sac à dos contenant les liasses de billets que lui avaient remises Amadou à leur départ de Paris. Désormais, cet argent était destiné à sa fille et à lui-même, ainsi qu'aux personnes qui feraient par la suite partie de leur existence.

Souriant dans la semi-obscurité du taxi qui filait droit vers l'aéroport, Ousmane échafaudait des plans d'avenir, sans se soucier de la famille décimée qu'il laissait derrière lui.

À son réveil, Sakina chercha instinctivement la petite bouteille en plastique qu'elle plaçait au pied de son lit. Buvant goulûment, elle regarda autour d'elle et ne voyant pas Ousmane, elle se mit à le chercher dans tout l'appartement. Aucune trace de son époux, et encore moins de sa fille.

Les jouets qu'elle laissait habituellement traîner partout dans la salle de séjour n'y étaient pas eux non plus… Avec un mauvais pressentiment, Sakina ouvrit à la volée les portes de la penderie de sa chambre et dut se rendre à l'évidence : celle-ci était vide ! Ousmane était parti avec Aïssata !

Dans un sursaut de lucidité, Sakina s'aspergea le visage d'eau froide, croyant faire un mauvais rêve. Mais le deuxième examen qu'elle fit de l'armoire lui confirma ce qu'elle se refusait à admettre : Ousmane l'avait bel et bien quittée !

Elle poussa un cri guttural et fit valser tout ce qui se trouvait à proximité d'elle, dans la pièce : cri où se mêlaient douleur, tristesse, amertume, déception, mais surtout regrets… Dans sa tête, défila le film de sa vie : sa rencontre avec Ousmane, la désapprobation de ses parents et de sa famille tout entière, son entêtement à vouloir s'unir, envers et contre tous, avec l'homme qu'elle aimait si intensément, le simulacre d'affection que lui témoignait celui-ci. Car maintenant, il apparaissait clairement qu'il l'avait initiée à la boisson pour mieux l'affaiblir et ainsi servir ses vils desseins.

Empoignant d'une main lasse la petite fiole qui constituait à présent sa seule possession, elle s'enfonça dans les rues grouillantes de Dakar et se fondit dans la masse bigarrée. Le déshonneur dont l'avait couverte son union avec Ousmane la fit songer à tout ce qu'elle avait enduré pour lui. Mais il était trop tard ! L'Université Sékou Touré d'où elle aurait dû sortir diplômée, elle n'y remettrait plus jamais les pieds, tout comme sa ville de cœur, Paris, où elle était promise à une existence dorée avec ses parents.

Tout cela faisait dorénavant partie du passé. Désormais, sa vie était dans la rue, en compagnie des innombrables individus que l'existence n'avait pas ménagés, eux aussi…

Lexique[1]

Aïd-El-Fitr : Korité au Sénégal, fête célébrant la fin du Ramadan, ou Carême musulman.

Aïd-El-Kébir : Tabaski au Sénégal, fête commémorant le sacrifice d'Abraham.

Allah anné : toi aussi ! Expression résultant de l'étonnement, face à l'agissement d'un interlocuteur.

Allah bonnima : que Dieu te maudisse !

Arr djoulééne : viens prier avec moi/nous.

Ayyoo : formule servant à accueillir une personne que l'on n'a pas vue depuis fort longtemps.

Baba : papa.

Bandaam : compatriote, parent.

Bii yâm : mon enfant.

Bisimilahi : pour souhaiter la bienvenue.

Bissap : jus de fleurs d'hibiscus.

Bouye : jus de pain de singe.

Boy Dakar : jeune homme/femme de Dakar.

Dibi : viande grillée.

---

[1] L'auteur a fait le choix d'une transcription phonétique des mots et expressions wolof et pulaar recueillis dans ce lexique, qui n'est pas forcément la transcription codifiée des langues nationales.

Diokkalanté : l'art du donner et du recevoir dans la société sénégalaise.

Djankh : jeune fille, adolescente.

Fadjr : aube, emprunté à l'arabe.

Fouta : région située entre le Nord du Sénégal et le Sud de la Mauritanie, terre des Pulaar.

Hal pulaar : ceux qui parlent le pulaar, désigne aussi les ressortissants de l'ethnie peulh ou pulaar.

Ko gongaa : c'est la vérité, absolument.

Ko kangaado : Il est fou/folle.

Ko woni : qu'y a-t-il ? Que se passe-t-il ? Qu'est-ce qui ne va pas ?

Latchiri haako : couscous au mil, accompagné d'une sauce avec des feuilles de baobab.

Mbakhal : riz au poisson ou à la viande, préparé avec une grande quantité d'eau, d'où son aspect pâteux.

Mbalax : musique sénégalaise basée sur la percussion.

Mélakh : étoile filante, ce qui brille.

Mine bourri : réponse à l'expression « tu me manques », voulant dire « moi aussi » et / ou « moi encore plus », littéralement.

Missié Dipiwi : M. Dupuis en français colonial

Négou wourouss : littéralement « chambre d'or », lieu de vente de bijoux (en or principalement).

Néné : maman.

No mbadda : comment vas-tu ?

Nyiiri bounaa : pâte de mil, accompagnée le plus souvent de poisson séché.

Sakina âm : ma Sakina chérie.

Seydi (Bâ) : Monsieur (Bâ) en arabe, voulant dire « mon très cher ».

Slow : genre musical et danse lente qui se pratique en couple, enlacés, de préférence en lumière tamisée. La musique d'un slow est généralement douce et de tempo lent, mais il peut également s'agir d'une ballade.

Soukaabé : les enfants.

Tawfékh : bonheur, plénitude.

Toubab : appellation du blanc dans les langues du Sénégal.

Toucouleur : peuple/ethnie de langue pulaar vivant principalement au Sénégal.

Wooré : jeu qui se présente sur un plateau de bois brut ou vernis et orné, pour les plus élaborés. Dans son modèle transportable, le plateau est divisé en deux palettes reliées par des charnières. Le plateau est creusé de deux rangées de six trous, avec parfois deux trous supplémentaires plus importants sur les bords, afin de permettre aux joueurs de stocker les prises. Lesdites prises sont soit des graines, des coquillages, des galets ou quelques fois des billes.

Woy yégam yoo : exclamation de profond bouleversement en pulaar.

Xalam : guitare traditionnelle à trois cordes.

Yo Allah réwnou jaam : que Dieu nous garde dans la paix.

Table des matières

L'HARMATTAN, Italia
Via Degli Artisti 15 ; 10124 Torino

L'HARMATTAN HONGRIE
Könyvesbolt ; Kossuth L. u. 14-16
1053 Budapest

L'HARMATTAN BURKINA FASO
Rue 15.167 Route du Pô Patte d'oie
12 BP 226 Ouagadougou 12
(00226) 76 59 79 86

ESPACE L'HARMATTAN KINSHASA
Faculté des Sciences Sociales, Politiques et Administratives
BP243, KIN XI ; Université de Kinshasa

L'HARMATTAN GUINÉE
Almamya Rue KA 028 en face du restaurant le cèdre
OKB agency BP 3470 Conakry
(00224) 60 20 85 08
harmattanguinee@yahoo.fr

L'HARMATTAN CÔTE D'IVOIRE
M. Etien N'dah Ahmon
Résidence Karl /cité des arts, Abidjan-Cocody 03
BP 1588 Abidjan 03
(00225) 05 77 87 31

L'HARMATTAN MAURITANIE
Espace El Kettab du livre francophone
N° 472 avenue Palais des Congrès,
BP 316 Nouakchott/(00222) 63 25 980

L'HARMATTAN CAMEROUN
Immeuble Olympia face à la Camair
BP 11486 Yaoundé
(237) 458.67.00/976.61.66
harmattancam@yahoo.fr

L'HARMATTAN SÉNÉGAL
« Villa Rose », rue de Diourbel X G, Point E
BP 45034 Dakar FANN
(00221) 33 825 98 58 / 77 242 25 08
senharmattan@gmail.com

L'HARMATTAN MALI
Rue de Leipzig, face au Palais de la culture,
Porte 203, Badalabougou, Bamako
00 223 20 22 57 24 /00 223 76 37 80 82
pp.harmattan@gmail.com

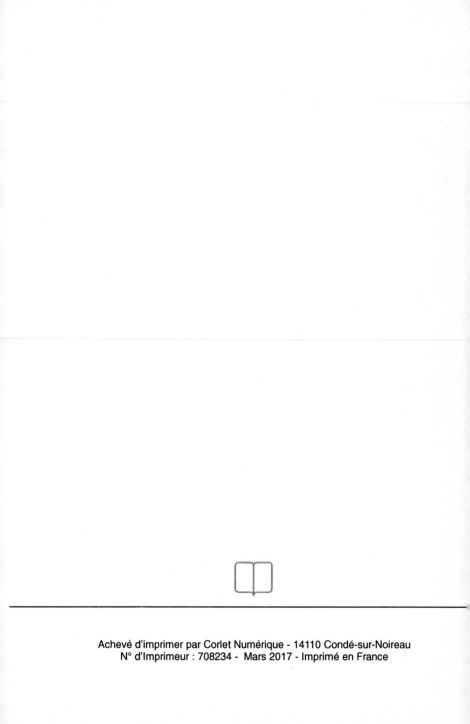

Achevé d'imprimer par Corlet Numérique - 14110 Condé-sur-Noireau
N° d'Imprimeur : 708234 - Mars 2017 - Imprimé en France